88歳、しあわせデジタル生活

もっと仲良くなるヒント、教えます

若宮正子
Masako Wakamiya

中央公論新社

はじめに

もう年だから、とおっしゃらないで。デジタルとシニアはとっても相性が良いのです

「シニアこそ、デジタルと仲良くなりましょう」

講演会などでそうお話しすると、「私には無理です」「だってアナログ世代ですから」「もう古稀も過ぎたし……」とおっしゃる方が大勢おられます。

おっしゃるとおり、私たちは生まれたときからデジタルのある世代とは正反対の〝アナログ・ネイティブ〟。私も米寿です。でもね、年齢は単なる数字だと思っています。これまでの体験をお話ししていくと、「それぐらいならできるかも」「勇気をもらいました」と皆さん元気になって帰っていかれます。

なぜかしらと考えますと、何かしら可能性を見出されたからじゃないかと気づきました。

デジタルは新しい世代のもので、自分は取り残された旧世代と思えばしょんぼりしてしまいます。テクノロジーの進化も日進月歩で速すぎて、とうてい追い付けないと思えば悲しくもなります。

だけど学ぶことについては、遅すぎるなんて絶対にありません。何歳からでも始められる、新しいことを身につけられます。できるようになるのは、楽しいことです。

年を重ねると、どうしたって失うものの方が多くなりますよね。視力が落ちる、髪が抜ける、思い出の場所がなくなる、親しい人が旅立ってしまう。

そんな喪失体験の多いシニアの強い味方こそが、デジタルです。

デジタルは新しい技術として不自由になった体の機能を助け、暮らしの不便さを補い、オンライン上に新しい友だちを発見させてくれ、今まで知らなかった世界の扉を目の前に開いてくれます。失うものばかりと思っていた老いの日々に、新しい可能性、学ぶことの楽しさ、生き生きとした毎日を連れてきてくれます。そう、シニアとデジタルは、とっても相性が良いのです。

人生100年時代ですから、何歳からのスタートでも十分に間に合います。「便利かもしれない」「ちょっとやってみようかな」で、いいんです。私マーチャンなど、58歳からパソコン、81歳でプログラミングに挑戦したのですから。人生で、今日という日がいちばん若いのです。自分自身を時代に合わせてアップデートするために、一歩を踏み出してみましょうよ。

シニアの皆さんや、デジタルにちょっぴり苦手意識のある方たちの悩みに寄り添いながら、マーチャン流のデジタルの楽しみ方と、心の持ちようをお伝えします。ぜひ、とりあえずやってみよう、の精神で読んでみてください。ご一緒にデジタルともっと仲良くなりましょう。

若宮正子

目次

第2章

マーチャン88歳、日々の暮らしにヒントがいっぱい　41

第3章 なぜ、テクノロジーが親友に？ 63

第4章 老いの苦手も、デジタルが補ってくれます 89

第5章 小さなつまずき、一緒に解決しましょう 151

第6章

シニアはひとりじゃない。世代の強みを今こそ活かそう

撮影●藤澤靖子
写真提供・
エクセルアート図案●若宮正子
編集協力●山田真理
装幀・本文デザイン●若井夏澄（tri）

第1章

さあ、ご一緒にはじめましょう

デジタルってなあに？ そんなお話からはじめましょうか

デジタルの世界へようこそ！　ここから私、ＩＴエバンジェリスト（キリスト教伝道師に由来。最新のテクノロジーをわかりやすく伝える人のこと）のマーチャンが皆さんをワクワクする冒険の世界へご案内いたします。

冒険の前には、旅の装備を確認しなきゃいけませんね。長い人間の歴史のなかで、ここ数十年という短い期間に次々とあらわれた新しい道具や仕組みについて、まずはひと通り紹介してみましょう。

まず本書のタイトルにもなっている「デジタル」。語源はラテン語の指（digitus）で、おおまかにいえば、世の中に存在するものや出来事を、コンピューターで扱えるように数字にしたものです。

そして「デジタル機器」とは、コンピューターを主役として働く機械や道具のこと。中でもパソコンは「パーソナルコンピューター」というだけに、それまでは専門の技術者のいる会社などでしか持てなかったコンピューターが、素人でも扱える、個人でも買える道具になったのです。

スマートフォンは携帯電話（ガラケー）とはまったく機能が違います。最近のスマートフォンはパソコンでできるちょっとしたことはひと通りこなします。外出先で便利なようにできています。

タブレットは、大きさも機能としてもパソコンとスマートフォンの中間くらいの存在でしょうか。

基本的に家にいることが多く、写真や動画を大きな画面で楽しみたい、スマホやタブレットのつるつるした画面が苦手、という方はパソコンがいいでしょう。

小さい文字が見えにくいので大きな画面で使いたい、家の中で持ち運びたいならばタブレットが使いやすいかもしれません。

出かけるのが好きだし、LINE（ライン）やメールでどんどん人とコミュニケーションしたい人には、やっぱりスマートフォンがいいでしょう。

もちろん二刀流、三刀流でデジタルライフを謳歌するのも素敵です。私は家でも講演会などの外出先でもノートパソコンをメインに使い、サブとしてスマートフォンを使います。このように、ご自分のライフスタイルに合わせてお選びになるとよいと思います。

続いて、「インターネット」について。

「ネットない　デジタル機器は　ただの箱」。そんな川柳もあるくらい、いまやインターネットなしにデジタル機器を使うことは少なくなりました（私が考案したエクセルアートのように、インターネットを使わずにできる楽しみもたくさんありますけれど）。

インターネットとは、世界中のデジタル機器をネットワークでつないで、情報のやりとりができる仕組みです。自宅のパソコンやタブレット、手のひらのスマートフォンから世界の情報網につながるなんて、考えただけでワクワクしてきませんか。

インターネットとつながれば知りたい情報が得られて、こちらから世界に向けて発信することもできます。家族やお友だちとつながるのにも、インターネットは欠かせません。音楽や動画を楽しんだり、家にいながら買い物ができるなど、私たちの暮らしのさまざまな場面をインターネットは支えてくれているのです。

スマートフォンは「万能電脳小箱」。世界中の人が育てています

あなたのお手元にあるスマートフォン。これはいったい何ぞや、というお話をします。そのまま訳せば「賢い電話」ですが、一家に一台あった電話機や、その後に登場した携帯電話（いわゆるガラケー）の仲間とはいえません。最近のスマートフォンは「外出用小型パソコン」ともいえます。インターネットとつながるのも得意です。

スマートフォンは「電話」や「メール」の機能はもちろん、「カメラ」になり、

「ラジオ」が聴けて、「地図帳」や「百科事典」でもある。「虫メガネ」にも、「懐中電灯」にもなったりと、驚くほどの働きをします。そうした特徴から、私は「万能電脳小箱」というあだ名をつけているんですよ。

この万能電脳小箱くんには、20世紀までの発明品とは大きく違う特徴があります。たとえばテレビを買って観て楽しむのとはまったく違います。スマートフォンは新しいアプリ（アプリケーション。特定の用途のため設計されたソフトのこと）がどんどん増えたり、すでにある機能の新しい使い方を考えつく人が出て来たりと、つねに進歩し変化しています。そして世界中でスマートフォンを使っている私たちがこの機能や使い勝手のよさを「育てた」のです。

いまや地球上の全人口のうち7割、約55億人が何らかの形でスマートフォンを使っているといいます。手のひらに乗る携帯コンピューターからインターネットを通じて、ありとあらゆる情報が飛び交っています。

そして「もっとこんな使い方ができればいいのに」という声が上がれば、どんどん改良されていく。スマートフォンの機能そのものも、どんどん使いやすく便利になっています。

そう遠くない将来、日本に住むシニアが「こういうときに使えるアプリがあれば便利なのに」とつぶやいたことに、どこか遠い国の人が「私が作りましょうか?」と応えてくれるかもしれません。あるいは、AI(人工知能)があなた好みに作ってくれるかも。あなたの手のひらにある薄くて小さな箱には、そんなワクワクするような未来がぎゅっと詰まっているのです。

世の中は無人化しています。「嘆く」より「慣れる」のが幸せの近道

自宅から最寄りのＪＲの駅では「みどりの窓口」が縮小されて、自動販売機が増えました。かわいいロボットがテーブルまで料理を運んでくれるファミリーレストランもありますね。いま、世の中はどんどん無人化が進んでいます。

世界に誇る「おもてなし文化」で、対面による手厚いサービスに慣れてきたシニア世代は、戸惑ってしまうかもしれません。「人と話しながら手続きしないと間違えないか不安」「やっぱり機械が相手では味気ない」とお嘆きになる声も聞

こえます。でも、残念ながらサービスの無人化は止めようがないと思います。背景には、長引く不景気で経費を削減したいという事業者の思惑があるのでしょう。さらに深刻なのが少子高齢化にともなう人手不足です。

日本の景気が良かったときは、発展途上国から働きに来てくださる方たちもいました。しかしそれらの国も成長をしていくと、あえて外国に出なくても仕事が見つかるようになる。かつて活躍してくださった飲食店やコンビニエンスストア、介護の現場は、今後ますます人手不足になっていくでしょう。

私たちシニア世代にできるのは、この現実を受け止めて理解すること。そして慣れること。人手不足の代わりとなるデジタル機器を使いこなしていくことだと思います。

機械にできることは機械にまかせることで、若い人たちがより働きやすい社会を作るお手伝いができます。そう考えたら、よーしがんばってみようという気持ちが湧いてくるのではないでしょうか。

デジタルというと「分からない」「避けたい」と思われるでしょうか。でも実は、すでにたくさんのデジタルとお付き合いしているんですよ。

用語がわからないのは、カタカナ語のせいかも？　マーチャン流「デジタル用語解説」

　私もパソコンを始めたときは、右も左もわからない初心者でした。デジタルに詳しいお兄さまたちが交わすカタカナの専門用語が、ちんぷんかんぷんだったものです。

　ですから「スマートフォンに慣れたい」「デジタルのことを勉強したい」という皆さんが、入門書を開いたり、家族に教わろうとしても、出てくるカタカナ語の意味がわからなくて挫折してしまう気持ち、よくわかるのです。「カタカナ語が二つ以上でてきたら、あきらめてしまう」という嘆きの声も聞こえます。

せめてカタカナ語じゃなければいいのに、と思いますが、デジタルの専門用語は、日本語に訳すと非常にまわりくどい言い方になって、さらにわけがわからなくなったりするから、困ってしまうのです。また、この世界は進歩と変化が激しいので、日本語に訳すのが間に合わないこともあります。

そこで、主にスマートフォンを使い始めた皆さんがつまずきがちな用語を、私なりに簡単に解説いたします。専門家からみたら、「ずいぶん大雑把だ」と呆れられるかもしれませんが、とりあえず、つまずきを解消してうまく使えるようにかみくだいた説明ということで、どうかご勘弁くださいまし。

「どのスマホを持ってるの？」と聞かれたら

スマートフォンには大きく分けて2種類あります。「ｉＰｈｏｎｅ（アイフォーン）」と「Ａｎｄｒｏｉｄ（アンドロイド）」です。「そのどっちを使っているか？」というのが質問の意味です。スマートフォンの裏側を見て（カバーをかけていたら外して）、リンゴのマークがあったら「ｉＰｈｏｎｅ」、それ以外は「Ａｎｄｒｏｉｄ」です。

「キャリアはどこ？」

携帯電話の通信事業者のことです。ドコモ、ａｕ、ソフトバンクの三つのうちのいずれか、が多いでしょうか。最近は、格安スマホの会社もありますね。ＵＱモバイルや楽天モバイルなど。ご自分がどの通信事業者と契約しているか、スマートフォンを手に入れたときの契約書で確認してみましょう。

「ダウンロード」と「インストール」の違い

自分のスマホにアプリなどを保存する「ダウンロード」は、いうなれば電器屋さんで買った洗濯機が玄関に届くまでのこと。

その荷を開けて所定の場所に置き、電気コードをお宅のコンセントに差し込み給排水のホースをつないで使えるようにするのが「インストール」。アプリを使える状態にするまでをいいます。

「ログイン」にはカギが必要です

インターネットのサービスには、家の玄関のように「カギがかかっている」ものがあります。サービスを使うため「カギを開けて中に入る」ことが「ログイン」。カギは、たいてい「ＩＤ」と「パスワード」の二つで、サービスを使い始めたときにあなたが作っているはずです。新しいサービスを使い始めたときに作った「ＩＤ」と「パスワード」は忘れないようにノートなどにひかえておきましょう。

「アカウント」は会員証

スイミングクラブやヨガクラスにもある、それぞれの会員証みたいなものです。あなたを特定するための名前、アドレスなどの情報を保存しておく場所と考えてはどうでしょうか。アプリやサービスを使うためには、そのアプリごと、サービスごとにアカウント登録、つまり会員登録が必要です。

「アプリ」は目的別サービス

あなたが「今やりたいこと」をするために、その仕事をいちばん簡単にやってくれるためのものが「アプリ」です。まずスマートフォンに取り込んでから使います。画面にたくさん並んでいるアイコンが、アプリの入口です。中にはカギがかかっているものもありますよ。誰もが必要と思われる基本的なアプリは、スマートフォンを買ったときから入っています。

「アイコン」は画面上のボタン

スマートフォンの画面に並んでいる、ボタンみたいなもの。電話は受話器の形だったりと、アプリの中身がわかりやすい形をしています。

「アップデート」は最新にすること

あなたのスマホを、最新の状態にすること。安全度を高めたり、不具合を直したり、新しい機能を加えたりします。たいてい自動的にやってくれますが、もし「アップデートしますか？」という表示が出たら、なるべく「はい」を押しましょう。

「マナーモード」と「機内モード」の違い

オン（有効）にすると、スマホから音が出なくなるのが「マナーモード」。電車や映画館などで、周りの人に迷惑をかけないための「マナー」として使います。

一方「機内モード」のほうは、スマートフォンの通信機能が使えなくなります。飛行機の操縦室の機械に影響が出ないように作られたので、「機内」の名前がついています。電話もメールも使えないので、飛行機を降りたら必ずオフ（無効）に戻しましょう。

「ＧＰＳ」は今いる場所を教えてくれる

位置情報といって、オン（有効）にしておくとスマホを持っている自分の今いる場所がわかります。スマホをなくしたときや、事故や災害時にまきこまれていないか家族が確認するときにも役立ちます。シニアはオンにしておくことを、おすすめします。

まず「つながる」「調べる」「支払う」チカラを。これだけで、かなり楽しくなります

デジタルをより便利に快適に使いこなすには、これからご紹介する三つのチカラがとっても大切。身につけられたら、デジタル機器やインターネットを楽しむのに苦労がなくなると思います。いうなれば、シニアがデジタルと仲良くなるための三つの鍵といえるでしょう。

まずは「つながる」チカラ。つまりインターネットを使えるように、自分でネット環境に接続できることです。

同居している家族がいてプロバイダー（回線をインターネットにつなぐ会社）と契約しているなら、その回線を使わせてもらいましょう。Ｗｉ－Ｆｉ（ワイファイ）といって、無線で接続する方法もあります。モバイルＷｉ－Ｆｉを自分で契約すれば、外出先でも使えます。

外出先でＬＩＮＥの送受信をする、乗り換え案内やマップをインターネットで使うときは、スマートフォンのモバイルインターネット回線につながっています。スマートフォンの画面上部にアンテナが表示されていれば使える状態です。

自宅にいてＹｏｕＴｕｂｅで動画を見たり写真などのデータをやり取りしたり、ＯＳ（スマホの基本操作や管理をしているプログラム）やアプリの更新でデータ量を多く使うときは特に、モバイル回線ではなく自宅のＷｉ－Ｆｉからインターネットにつなぐのがおすすめです。

二つ目が、「調べる」チカラ。つまり検索を使いこなすこと。

インターネット上には、つねに膨大な情報があふれています。そこから知りたい情報を探してくれるのが検索サービス。知りたい情報に関する言葉（キーワード）を入力すると、インターネット上からその言葉に関する情報を探し出してくれます。日本ではＧｏｏｇｌｅとＹａｈｏｏ！が大手です。

検索結果の上のほうにあって「スポンサー」と小さな字で書かれているのは「広告」です。たくさんの情報から自分の求める答えを得るには、ちょっとしたコツがあります。情報の中には明らかに間違っているもの、誰かを故意に傷つけたり騙したりしようとするものも含まれているという点は、気をつけたいところ。正しい情報にアクセスするチカラを身につけることも、デジタル初心者には大切なことです。

三つ目が「支払う」チカラ。ネット通販で買い物ができる、インターネットバンキングなどお金のやり取りをするチカラです。

欲しいものが近くのお店にないときは「ネット通販」がおすすめ。品揃えがすごいのです。もし今後、ひとり暮らしで体力が落ちて買い物へ行けなくなったときも、ネット通販が使えれば自立した生活を送れるでしょう。

オンラインショップは実店舗よりも物の値段が安い場合もあり、またポイントを活用すれば節約にもなるので、物価高への対抗策としてもおすすめです。

ネットショッピングができるようになると、それまでデジタルに苦手意識を持っていた方にもかなり大きな自信になると思います。

ほかにも、デジタルを使いこなすことでシニアの暮らしがもっと楽しく快適になる方法はたくさんあります。詳しくは4章でご紹介いたしましょう。

オンライン上の「居場所」はかけがえのないもの

「社会的孤立は、喫煙やアルコール摂取と同じくらい健康リスクを高める」というアメリカの調査結果があるそうです。

私の場合は、定年退職後に母の介護で社会とのつながりが薄くなることが心配になっていたとき、インターネット上のコミュニティという「居場所」に出会えました。本当に幸せなことだったと思っています。

最初に参加したのがパソコン通信の交流サイト「エフメロウ（現・一般社団法

人メロウ倶楽部）」です。これはいわばインターネット上の自主運営の老人クラブ。サイトにはいろいろな「会議室」があって、パソコンの部屋、写真の部屋、都々逸の部屋など趣味を同じくする人との交流を楽しんでいます。シニア向けのサイトですから、年をとって病を得て、やがて死に向かうという重いテーマを扱う部屋もあります。そこでは、家族の介護をする人と自分が介護されている人が本音で語り合ったり、旅立っていかれる方が「これが最後の投稿になるかも」「今までありがとう」と書き込みをされたり、オンラインならではの深い交流が生まれています。

年齢を重ねると体の不調も増えてきますが、同じ病気にかかった人同士のオンライン上の交流が、貴重な情報交換の場になることもあるでしょう。たとえばがんを体験された方や、オストメイト（人工肛門のユーザー）が、お医者さんや看護師さんでも気づかない、ちょっとした生活上の工夫をネットで公開して他の人の参考になったり。当事者にしかわからない悩みや心の動きを打ち明け合って共感じ合うことも、大きな励みになると思います。

同世代とのつながりだけでなく、幅広い年齢層とのつながりが生まれるのも、インターネットの良いところ。日本では、年齢の違う人との交流というと親子や師弟、上司と部下などタテの関係がどうしても多くなります。でも、インターネット上では年齢も本名も明かさずに交流ができます。私はそこでは「マーチャン」です。

お互いに対等な関係で、さまざまな立場の人の、いろいろな考えに触れることは、年とともにどうしても凝り固まりがちな脳みそに、新鮮な刺激を与えてくれるでしょう。結婚をしない人、子どもを持たない人、性的マイノリティーの人など、さまざまな人が身近にいるかもしれません。言葉や習慣、宗教の違う海外の人と接する機会も増えていくでしょう。彼らと自分の考えはもしかしたら合わないかもしれないけれど、相手を「理解しようとする」ことは、これからの社会ではとても大切な姿勢ですから、インターネットがその助けになってくれると思うのです。

　地球の裏側の人とつながるだけでなく、お隣さんなど身近な人とのつながりもインターネットが快適にしてくれます。「そんなの直接ピンポンを押せばいいじゃない」と思うかもしれませんが、夫婦共働きで日中は家にいない人も多いし、赤ちゃんがいれば、お世話をしていて手が離せないのではないかしらとか、気を遣うことも多いもの。メールやSNSのメッセージ機能で送っておけば、相手の都合に合わせて確認してもらえます。

　インターネット上のやりとりは時間を選びません。シニアにとって、これは利点です。ふと目が覚めた夜中に書き込んだことに、同じように眠れない人から反応があったり。あるいは時差のある外国の友だちが返事をくれることもあります。

　年齢を重ね、現実にはなかなか人と会えなくなっても時間や空間を超えて交流できる友がいる、その場所があることは、かけがえのない宝物になると私は信じています。

第2章

マーチャン88歳、日々の暮らしにヒントがいっぱい

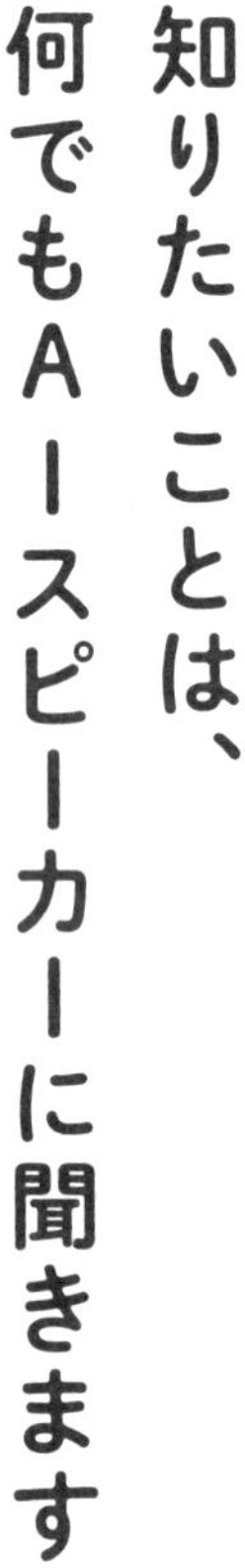

今日は東へ明日は西へ、日本中を飛びまわっていて、在宅の日が少なくなっています。それでも、リビングにあるＡＩスピーカーは、私の頼もしい相棒。知りたいと思ったことは、何でも聞きます。

たとえば明日から北海道へ行くので、着ていく服を決めなきゃいけません。

「ＯＫグーグル、明日の札幌の天気は？」

そう尋ねると、ＡＩスピーカーの答えは、

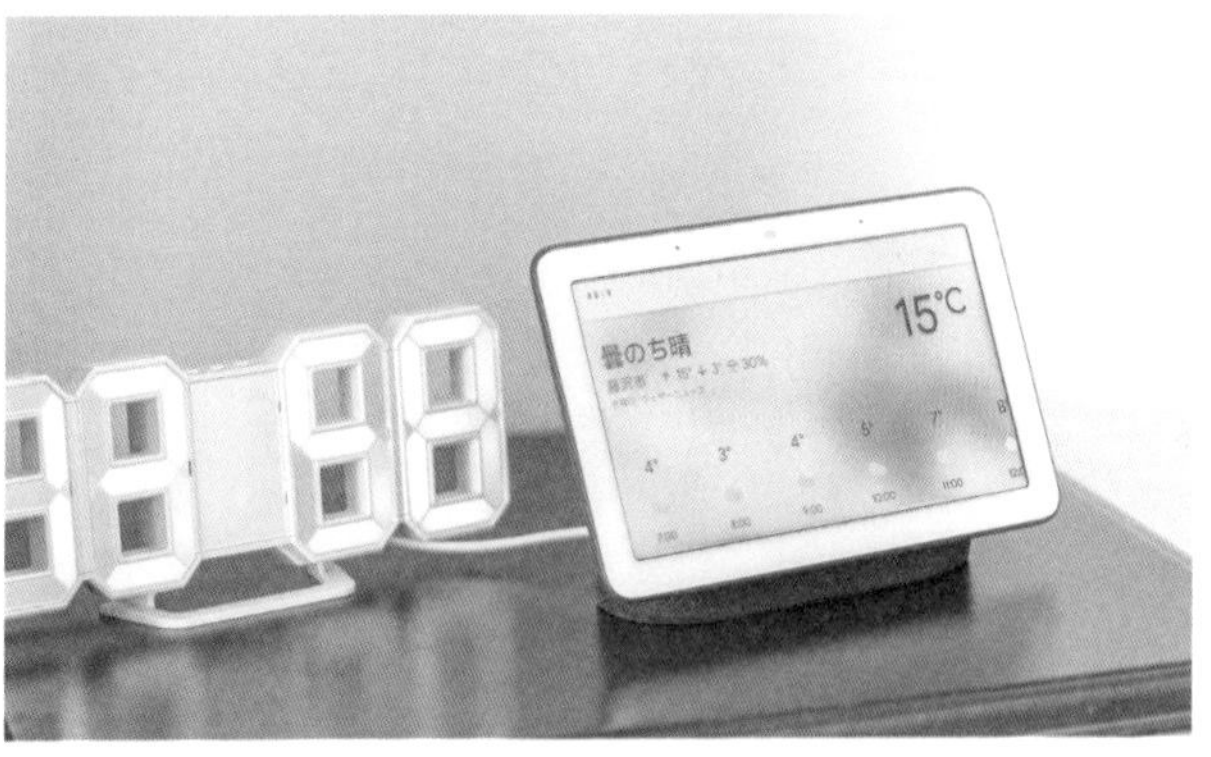

いつでも聞ける定位置に。相棒は音声と文字で答えてくれる

「明日の札幌は最高気温15度、最低気温8度で、晴れるでしょう」

続けて「気温15度だとコートは必要？」と聞くと、「トレンチコートや厚手のカーディガンがあるといいでしょう」と教えてくれました。なるほど。

念のため「今日の予定は？」と聞くと、「カレンダーで一致する予定は見つかりませんでした」との答え。では今日はゆっくり、おうちにいるときしかできないことをしましょうか。

そういえば冷蔵庫に、講演先でいただいたフキノトウがあります。「ＯＫグーグル、フキノトウのレシピを教えて」。すると「フキノトウは油と相性がいいので、天ぷらにすると独特の苦みがやわらぎ食べやすくなります。フキ味噌は白いご飯にのせたり、焼きおにぎりに塗っても美味しいです」とのこと。天ぷらもいいけれど、フキ味噌を作り置きしておけば長く楽しめそう。

さすが相棒、いいことを教えてくれました。

「私好み」を探したら、ネットのお店にありました

欲しいものをあちこち探し歩いてくたびれることがなく、家にいながら手に入るネットショッピングは、シニアにとってありがたいものです。

私の自宅は首都圏のターミナル駅に近く、ファッションビルや飲食店の多い繁華街にあります。日常のお買い物は、とっても便利。ところが、「私は〝これ〟が欲しいのに」と思う商品は探しても見つからないということがあります。

たとえばパソコンを使う文机（ふづくえ）の前に置く、座布団のカバー。机の雰囲気に合

う和風の色柄のものが欲しかったのですが、スーパーの衣料雑貨売り場でも駅前のインテリアショップでも見つけることができませんでした。

　そこで試しに、通販サイトのＡｍａｚｏｎで「座布団カバー　和柄」と検索してみると、まあ出てくる出てくる。画像の中から、これなら私の部屋にぴったりという一枚を見つけることができました。

　こんな純和風の商品が、Ａｍａｚｏｎというアメリカの会社で見つかるのも考えてみれば不思議なこと。でも街の実店舗では見つからない「自分好み」の品も、世界のどこかに欲しい人がいるかぎり、インターネットの通販で見つけられる可能性があります。どうしてそういうことができるのでしょうか。それはね、ネットのお店はたくさんの品物を持っているわけではなくて、それを作っている人を知っているからなのです。

　焼き芋にするサツマイモも、昔ながらのホクホクしたお芋が好きなのですが、近頃お店で売っているのはお菓子みたいに甘いねっとり系ばかりです。そんなと

これが私のパソコンデスクです

きにも、頼りはＡｍａｚｏｎ。「サツマイモ　ほくほく」で検索すると、なると金時、紅あずまなどの品種が見つかりました。いくつかの種類を注文してみて、いちばん私好みのさっぱりした甘さのホクホク系は紅あずまだとわかりました。

皮のままオーブントースターでじっくり焼くと、香ばしくて美味しい焼き芋になります。おやつにもいいですが、赤ワインに合わせるととっても美味しい。ぜひお試しくださいね。

少し細めのお芋を選ぶと、上手に焼けます。焼き芋は皮ごといただきますよ

昔の写真もデジタル化して
コンパクトに。
いつでも、いろんな形で楽しめます

ゆっくり家にいる時間を利用して、写真の整理も進めることにしましょう。

私はパソコンを買って数年後から、わが家にあった写真をデジタル化することを始めました。明治時代に撮ったと思われる父や母の姿から、マーチャンご幼少のみぎりの一枚、職場代表で『ベルトクイズQ&Q』というテレビ番組に出場した際の記念、海外旅行先のスナップなど、思い出のつまった紙焼きの写真がたくさんあったのです。

古いモノクロ写真はすでにセピア色になり、紙も傷んでいました。デジタル化してデータを保存すれば、いつまでもきれいなままで見ることができます。アルバムの状態では場所を取るので、デジタル化でコンパクトにしたいという気持ちもありました。

デジタル化しておけば、たとえば講演会で自己紹介の映像に使ったりと、いろいろな場面で利用できます。デジタル化した写真をネット上で公開することで、懐かしんで見てもらったり、若い人が資料として活かしてくれるかもしれません。

スマートフォンやデジタルフォトフレームで眺めることもできます。インターネットを通じて、家族や友だちと一緒に楽しむこともできるでしょう。

写真の取り込みについては、私はプリンターについているスキャナー機能でスキャンをしていますが、他にもスマートフォンのアプリ（Ｇｏｏｇｌｅのフォトスキャンなど）を使ってデータにする方法、コンビニの複合機を利用する方法、スキャン専門店に依頼する方法などがありますよ。

『ベルトクイズQ&Q』は職場対抗（三菱銀行VS全日空）でした

戦争の足音が聞こえ始めたころ

上：旧東ドイツのドレスデンのリバークルーズで。1986年　左：フィンランドでサンタクロースと。1989年

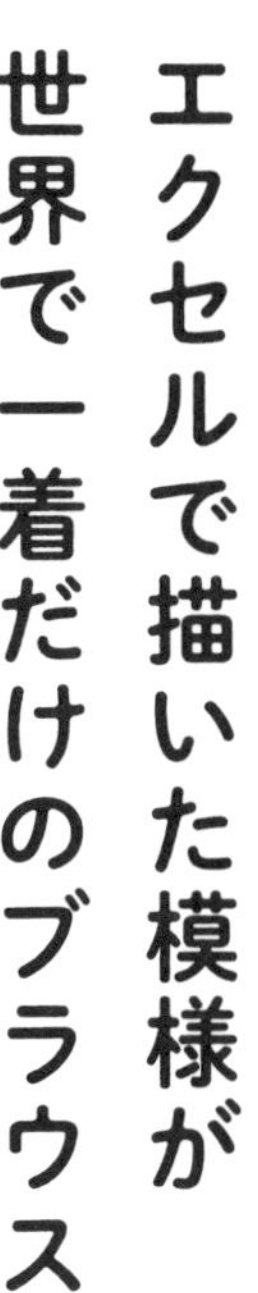

エクセルで描いた模様が世界で一着だけのブラウスに

表紙のカバー写真で身に着けているブラウス、素敵でしょう？　その一着も、明日どれを着て行こうか考えている何着かのブラウスも、私がデザインした布から生まれた「世界で一着だけのオリジナル」です。

どうしてそんなことができるの？　その秘密も実はデジタルにあります。

私マーチャンが名乗る肩書の一つが、「エクセルアートの創始者」。マイクロソフト社が出している表計算ソフトのエクセル（Excel）を使って、カラフルで楽しい図案を考えだすことが、私の生きがいの一つなのです。

思いついたのは、定年後に自宅でパソコン教室を開いていたとき。エクセルはもともと計算や表を作成するためのソフトなので、シニア向けの講座では「家計簿をつける」「血圧をグラフ化する」といったことを教えていました。でもそれだけではつまらないと思って、ふと「エクセルで図案を描いたらどうだろう」と思いついたのです。

もともとエクセルには、表を見やすくするためにセル（数字や文字を入れる四角いマス）に色をつけたり、ぼかしを入れたり、罫線の太さを変えて強調する機能がついています。マイクロソフト社で開発にあたっていた技術者が、必要はないけれど、あるほうが面白いと遊び心で加えた機能だったと聞いたことがありますが、真偽のほどはわかりません。

それに気づいてしまった私は、手芸のような感覚でセルの色を変えたり、組み合わせて模様にしてみたり、さらには、ぼかしや網かけなどのワザを使うと、もっと複雑なものができることがわかって夢中になりました。アメリカ生まれの最先端の技術を使いながら、日本の伝統的な織物や刺し子のような文様に見えてくるところも面白くて。

初めは紙に印刷してグリーティングカードやうちわなどを作っていたのですが、「メロウ倶楽部」の友人が「自分で作ったデータをオリジナルの生地にプリントできる」というサービスを教えてくれたのです。裁縫上手な別の友人が、プリントした生地を洋服や小物に仕立ててくれます。最近では公の場で身に着ける服はいつもエクセルアートのデザインにしているくらい、お気に入りです。

友人の中には、マイクロソフト社が出しているオフィス（Office）にある図形を加える機能を使って素晴らしい絵を描く人もいます。ソフトやアプリは開発者の意図なんか無視して、自分の好きなように使っていいのですよ。

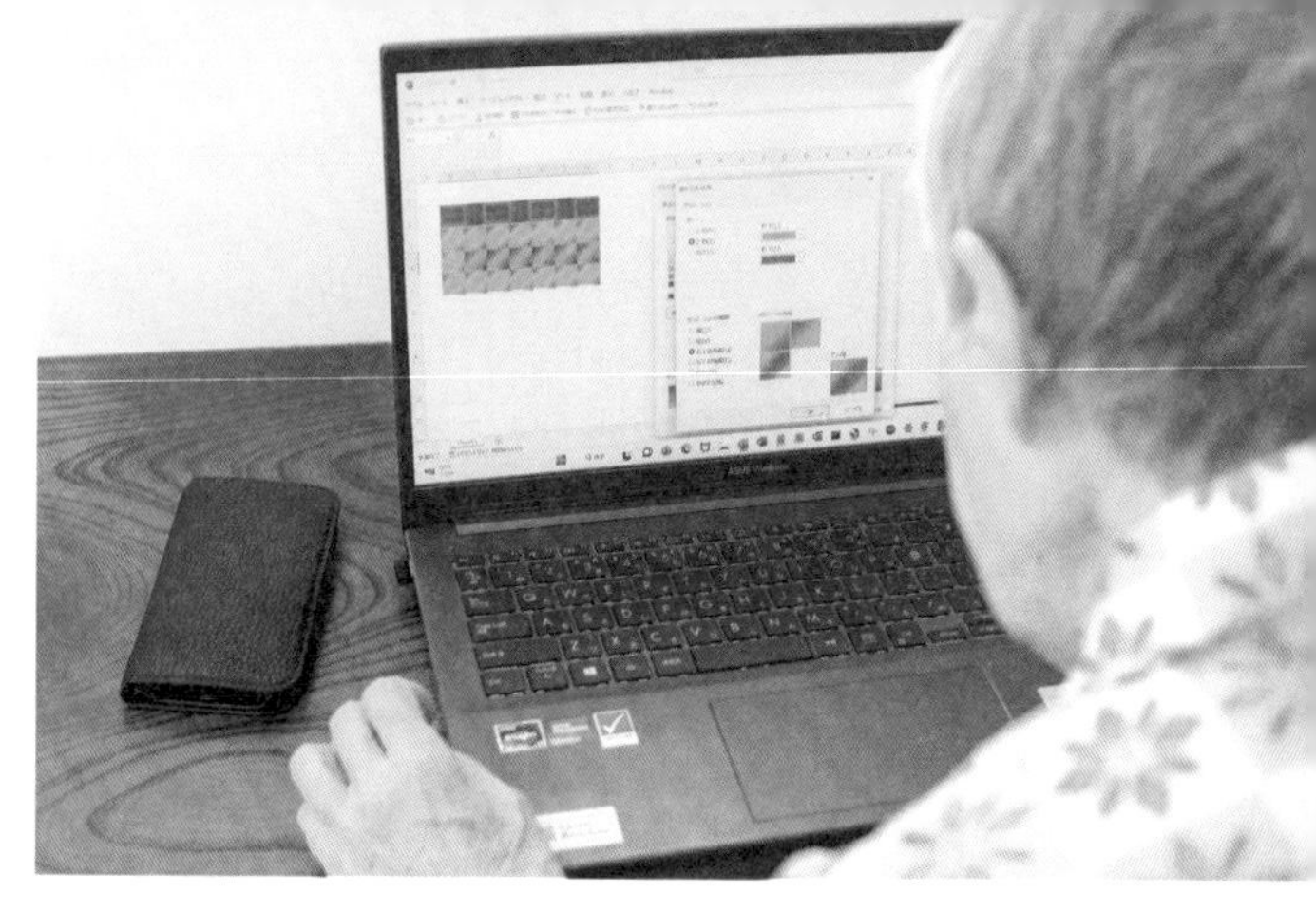

エクセルで描ける模様は無限です！

刺し子や絣（かすり）のような和柄から、イギリス刺繍をイメージさせるパターン、万華鏡のようにきらめいて見えるぼかしワザまで。表現できることがどんどん拡がります

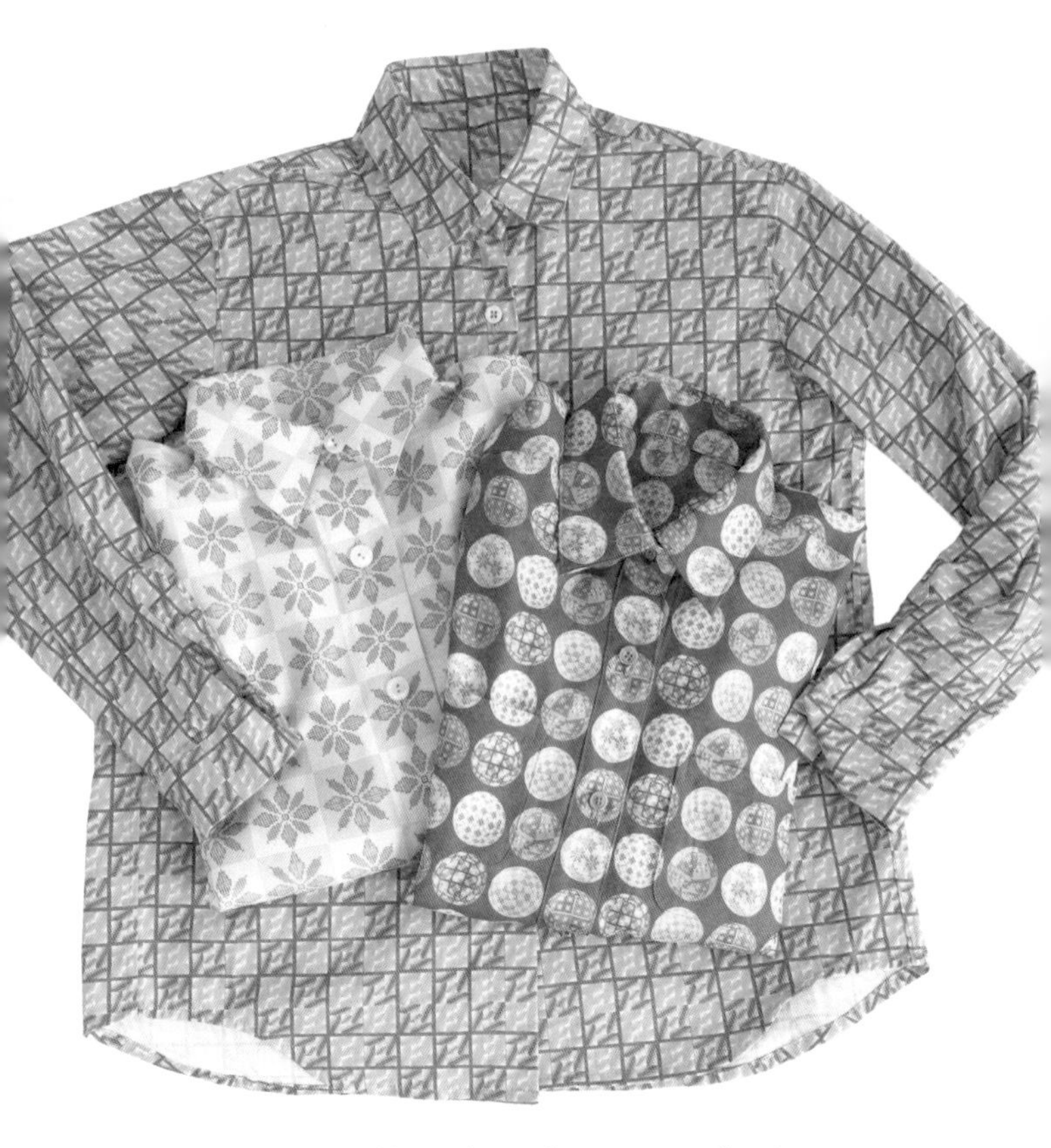

エクセルアートで描いた柄をプリントしたブラウス。
きれいな色を着たい気持ちも満たされます

やってみたいことを支えてくださる「お友だち力」

エクセルアートをブラウスに仕立ててくれる友人のように、私の周りには素晴らしいお友だちがたくさんいます。マーチャンがＩＴエバンジェリストとして活躍できるのも、貴重なお友だちとの「縁」があるからだと感謝しています。

その多くはインターネットを通じて知り合った「ネット縁」です。

フェイスブックでは、最新のＩＴ事情など、自分の興味のある人をフォローすれば、その分野の情報が自然と入ってきます。そしてコメント欄に書き込むうちに、その周りの人ともお友だちになれるところも素敵です。普段の生活では出会えない世界の人、世代や国が違う人とも友だちになれるところが面白いと思います。ただ、毎日の時間にも限りがありますから、お友だちの数もこれ以上増やせないのが悩みの種なのですけれど。

一方で、ご近所の方とも、消防訓練のような会合があればできるだけ参加して輪に加えていただくようにしています。時にはランチ会などもご一緒しているのですが、このところやたらと忙しくてごぶさたしがちです。

ひとり暮らしでも近くにお話しできる人がいる、オンライン上では毎日誰かとおしゃべりができる。このような生活では、寂しいと思う暇もありませんね。

もしもの時のお守りがわり？スマートウォッチで健康チェック

私はこの通り普段はまったく元気です。ただ、自覚症状はないのですが、健康診断で不整脈があることがわかりました。そこで、毎日欠かさず、というわけじゃないですが、腕時計のようなアップルウォッチで心電図をとっています。やり方は簡単。アップルウォッチに入っている心電図のアプリを立ち上げて、逆の手の指で時計の竜頭のようなデジタルクラウンに触れて30秒、心電図をとることができます。

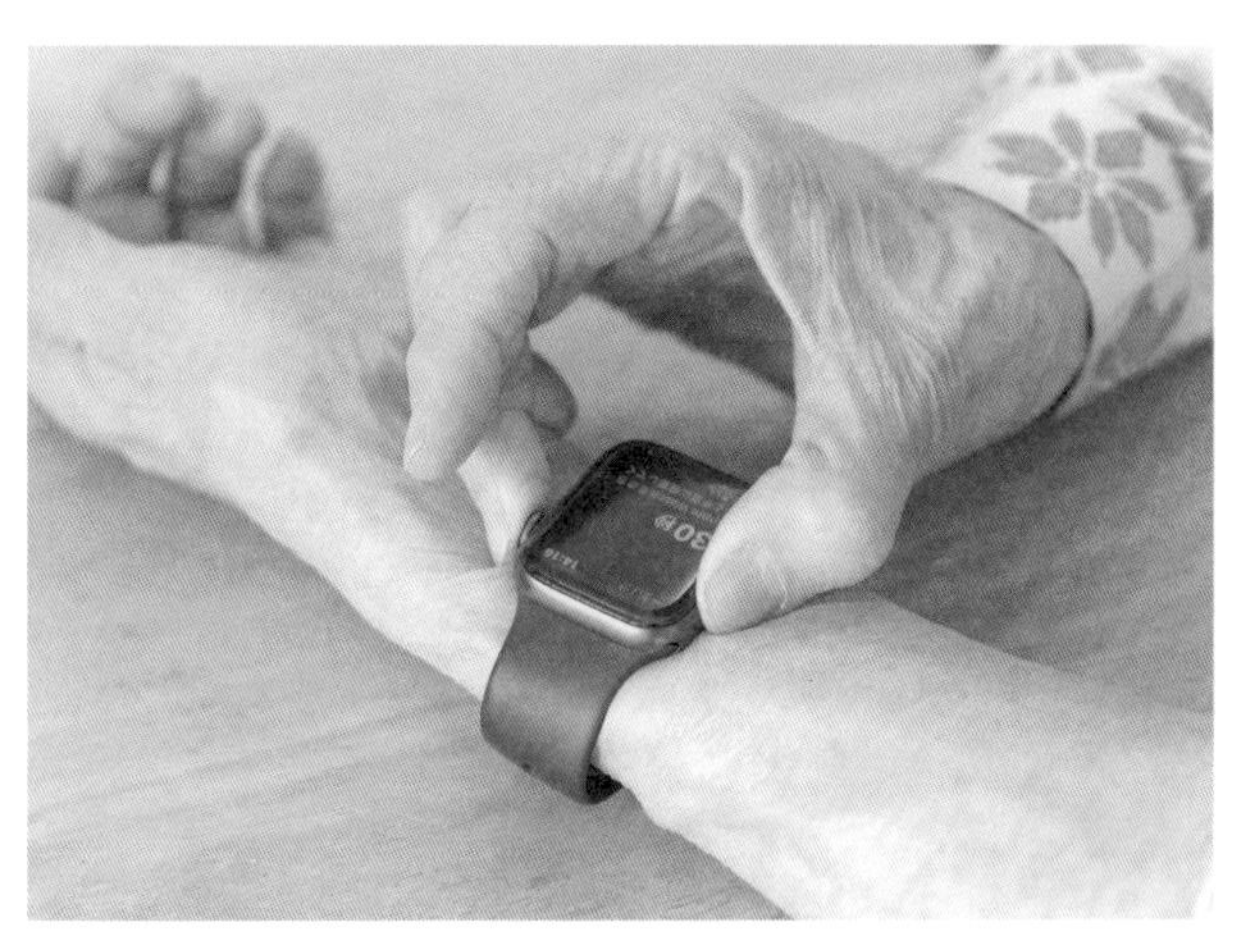

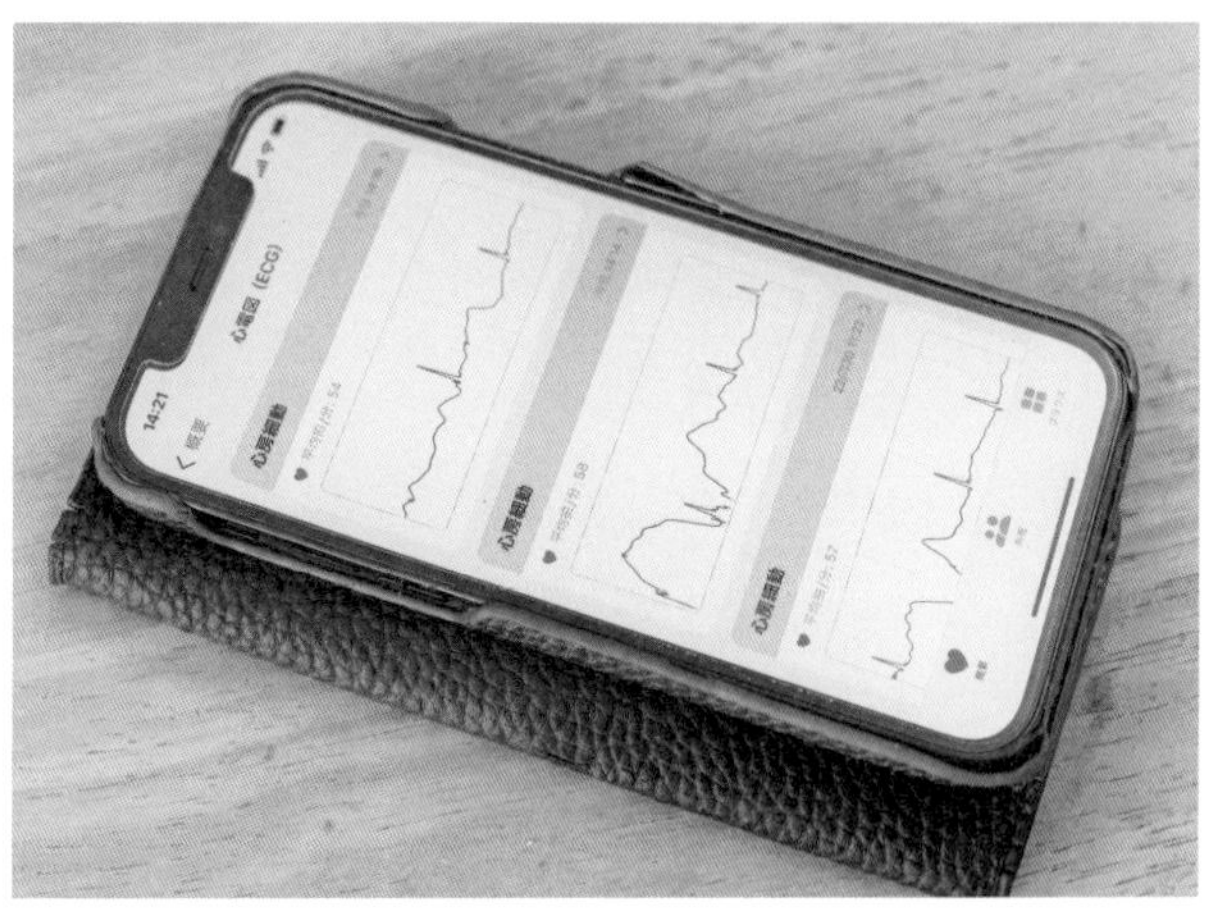

アップルウォッチでとった心電図はiPhoneへ送られます

測定結果は自動的にiPhoneのヘルスケアアプリに送られますので、毎日のデータとして記録が残ります。もし発作を起こすなどしてお医者さんにかかったとき、アップルウォッチで定期的に記録した心電図を補助的なデータとして見ていただくことができるのです。必要であれば、診察の前にあらかじめ病院のパソコンへデータを転送しておくこともできるでしょう。

普段は使っていませんが、心拍数や運動量、睡眠時間・睡眠の質・睡眠時の呼吸、コロナ禍で注目された血中酸素濃度なども測ることができます。

アップルウォッチはiPhone対応ですが、Androidを使っている方向けのスマートウォッチもあり、スマホのメーカーに合わせて購入すると使いやすいようです。

ほかにもスマートウォッチはスマホと連動して「電話だよ」「メッセージが届いているよ」などと教えてくれますし、スマホをマナーモードにしているときでも「ブルブル」っと震えて着信を知らせてくれます。

第3章

なぜ、テクノロジーが親友に？

戦争体験で価値観が決まった

今年米寿（88歳）になった私が、どうしてこんなデジタル大好き人間になったのか。そんなお話をしてみましょう。

私は1935年（昭和10年）、東京の杉並生まれ。ものごころついた頃には太平洋戦争が始まっていました。戦争が本格化してからは、いつでも逃げられるようにモンペを穿（は）いて防空頭巾をかぶったまま眠るような毎日。ちょうど今のウクライナのような状況下で子ども時代を過ごしたのです。

いよいよ空襲も激しくなると、通っていた学校ごと山奥の温泉地へ学童疎開しました。だんだんと食糧事情も悪くなり、毎日おなかが空いて仕方がなかった。そうした飢餓への恐怖感というのは今も忘れられません。

その後、父の勤め先が会社ごと疎開することになり、家族で移住した兵庫県で終戦を迎えました。戦後の暮らしは、両親の親戚が住む農村や漁村に汽車でたびたび買い出しに行ったのが印象的な思い出です。

たったひとりで、片道何時間もかけて往復する旅路はなかなか大変でしたが、寂しいとか怖いというより、リュックいっぱいに食べ物を詰めて帰れる喜びの方が大きかったと思います。

そうした体験を通じて、ちょっとしたことでは動じない度胸、生きのびるためには前に進むしかないという意志の強さが、育っていったのかもしれませんね。

銀行員失格？でも時代に助けられました

高校を卒業して、三菱銀行（現・三菱ＵＦＪ銀行）に就職しました。

１９５４年（昭和29年）当時、製造業などではすでに機械化が進んでいましたが、いわゆるオフィスワークは江戸時代から変わっていないところも多くて。計算はそろばん、お札は指で数える、お客さんの通帳に名前を書くときはペン先をインク壺につけて一文字ずつ書くといった具合でした。

ところが私は生まれつき右手の指がうまく動かず、そうした事務仕事をうまく

銀行時代のレセプションで。
周りは背広の男性ばかりでした

こなせませんでした。先輩から「まだ終わらないの」と叱られることも多く、どちらかといえば職場のお荷物だったんじゃないでしょうか。

世の中とはよくしたもので、その頃アメリカから電動計算機（電子ではありません よ！）が入ってきて、まずそろばんが要らなくなりました。続いて紙幣計数機が導入され、指でお札を数えなくてもよくなりました。コンピューターが初めて銀行に来た頃のことも覚えています。「大切な機械だから壊しちゃ大変だ」って、コンピューター室に入るときは靴からスリッパに履き替えたものでした。しかも、機械に触れられるのは専門の部署の人だけ。私たち一般の社員は「どうやらすごい機械らしい」と遠巻きにするだけでした。

そうした時代の変化に応じて銀行の業務も変わっていき、私は自動振替のサービス開発など新しいアイデアを具体化していく企画開発のセクションに所属することになりました。企画の仕事は、新しもの好きの私にぴったり。不器用さに悩んでいた新人時代が嘘のように仕事がどんどん面白くなっていきました。入行して30年ほど経った1986年には男女雇用機会均等法も施行され、私もありがたいことに管理職になることができたのです。

とはいえ男性と同じような昇進コースをたどるわけではありませんでした。世間一般では女性管理職はまだめずらしい時代でしたので、外回りの営業時代には「女性が来た！」と驚かれることもしばしば。でも、気にしないのが一番と思っていました。出世競争に関わらないぶん、自由にやりたい仕事ができる。

当時は有給休暇を完全に使う人はめずらしかったのですが、私はばっちり取って、ふらふら外国旅行ばかりしていました。そんな「不良社員」の私を、周囲も面白がってくれていたんじゃないでしょうか。

そうして入行当時は落ちこぼれ社員だった私が、まがりなりにも定年まで楽しく有意義な銀行員時代をまっとうできたのも、いってみれば職場の機械化、コンピューター化のおかげ。ですからコンピューターを始めとするデジタル技術は、私の人生を支えてくれた大切な友だち。昔も今も、愛してやまない存在なのです。

母の介護と58歳のパソコンデビュー

初めて自分用のパソコンを買ったのは、定年を間近に控えた58歳の時でした。初期にはビルのワンフロアを使うくらい大きかったコンピューターが、個人が気軽に使えるパーソナルコンピューター（パソコン）へと進化し、大衆化していった時代。それを「私も使ってみたいわ！」と思ったのです。

もう一つ、「いろんな人とコミュニケーションができるらしい」と知ったことも大きな理由でした。

当時私は80代の母とふたり暮らしで、退職後は介護生活に入る予定でした。仕事を辞め、家にこもりきりになったら人と自由に会えなくなるかもしれない。それが、おしゃべり大好き、人が大好きな私にはとても不安だったのです。

30年前のこと、パソコンはまだまだ高価なもので、周辺機器を合わせたら40万円近くしたでしょうか。でもやっぱり使ってみたい。「もうすぐ退職金も入るんだし」と思って、えいやっと買ってしまいました。

とはいえパソコンなんて会社でも触ったことがありませんから、セットアップ（使用準備）も本当に大変でした。当時パソコンを持っている人は、よほどの機械オタクか少数の物好きな人ばかり。本屋さんへ行っても、素人が読んでわかるような入門書はほとんどなかったのです。

自分なりにああだこうだ、いじくりまわして約3ヵ月。わが家のパソコンの画面に「マーチャン、ようこそ」と、今でいうSNSに入会できたことがわかる文字が表示されたのを見たときの感動は、忘れることができません。

独学だって、やろうと思えば何とかなる。素人が適当にいじくりまわしたって、パソコンは意外と壊れない。それがデジタル機器とのファーストコンタクトから受けた印象であり、基本的には今も変わっていません。

何とか使えるようになってすぐにおしゃべりの場として入会したのが、「エフメロウ」というシニアコミュニティ。当時はパソコン通信といって、電話回線を使って文字のやり取りをするという、インターネットのご先祖様のようなサービスを使っていました。

その接続設定も何とかこなし、「エフメロウ」のサイトに初めてつながったとき画面上にあらわれた、「人生、60歳を過ぎるとおもしろくなります」というウエルカムメッセージに、またしても胸がわくわく。60代で面白くなるなら、70代80代はいったいどんなことが起きるだろうと、夢がふくらんだものでした。

インターネットが自由に羽ばたける翼をくれました

母はこれといって持病もなく、おだやかに明るくボケてくれましたので、私がしたのは介護のまねごと。退職後、ますますパソコンにのめりこんでいた私は、「あらいけない、おばあちゃんにおやつをあげるのを忘れちゃったわ」なんてこともしばしばの不良介護人で、母には申し訳ないことでした。

1995年（平成7年）には、マイクロソフト社のウィンドウズ95が発売され、パソコンがますます身近なものになりました。本屋さんの棚にもいっせいに、パソコンの入門書が並び始めたのを覚えている方も多いのではないでしょうか。

ウィンドウズ95が画期的だったのは、それまで大学や研究機関で使われていたインターネットを、一般の人が簡単に利用できる機能を備えていたことでした。

インターネットとは、世界中のコンピューターを始めとする情報機器を接続して、人と人、会社や学校などさまざまな組織と人との「間（＝インター）」に張りめぐらされた「網（＝ネット）」のこと。世界中のコンピューターをつないで、情報のやりとりをできるようにした仕組みです。

そんなすごいことが自分のパソコンでもできるようになったのですから、新しいこと大好き、楽しいもの大歓迎のマーチャンが夢中にならないはずがありません。私はまず、パソコン通信よりもさらに便利で快適になった、インターネットでのおしゃべりを大いに楽しみました。

「エフメロウ」のサイト上にある「俳句の部屋」などさまざまなクラブ活動に参加し、途中からは運営も手伝うようになり、戦中戦後を生きた人々の貴重な生の証言をデータベース化する「メロウ伝承館」のプロジェクトの立ち上げにも関わりました。時にはオフ会で実際にお目にかかり、銀行員時代には知り合えなかったような人たちから刺激をもらうことも多かったですね。

もう一つ、私を夢中にさせたのは、インターネットで世界中の情報に触れること。もともと旅行が大好きでしたから、行ってみたい国の観光地について調べたり、美味しそうなお店を探したり。それまでガイドブックや雑誌でしか手に入らなかった情報が、自分のパソコンからあっという間に集められるのです。日本のテレビや新聞では報じられない世界のニュースに触れて目が開かれる思いをすることも多々ありました。

パソコンは、私の生活を間違いなく豊かにしてくれました。デジタルが、自由に羽ばたける翼をさずけてくれたのです。

こわいもの知らずの
おっちょこちょい。
「マーチャンイングリッシュ」で世界へ

母を100歳で見送ったとき、私は70歳になっていました。

自宅にいても、介護をしながらでも、空いた時間で自由に楽しめるパソコンは、仕事をリタイアしたり、家族の面倒を見終わったシニア世代にはぴったりの趣味です。こんなに楽しいことを自分ひとりで味わっていてはもったいない、もっと多くの人に知ってもらいたいと、自宅でささやかなパソコン教室を始めました。

「パソコンって案外、面白いものなのね」と思ってもらえる工夫をいろいろと考

えたものです。

次第にシニア世代にインターネットのコミュニケーション術などを伝える勉強会や、講演会の講師として呼ばれることも増えていきました。それが現在の、「ITエバンジェリスト」マーチャンの出発点ですね。

もともとこわいもの知らずで、おっちょこちょいなところがあるから、お呼びがかかったら「私にできるかしら」なんて考えずに、なんでも引き受けてしまいます。

2014年、79歳の時には、世界のさまざまな分野の専門家による講演を行う団体「TED（Technology Entertainment Design）」から、日本では初めてのTEDのトークショーへの出演を依頼されました。かつてスティーブ・ジョブズさんや、ビル・ゲイツさんも登壇したという講演会。私は58歳で初めてパソコンを買い、母の枕元からインターネットで世界と通じ、エクセルアートで創造する喜びと出会った日々のことを「Now it is time to get your own wings.（今こそあなた自身の翼を手に入れるとき)」と題してお話ししました。

最初は主催する人たちも、こんな無名のおばあさんを登壇させて大丈夫かと不安だったみたいですね。

でも一生懸命12分しゃべり終えたら、会場がわーっとスタンディング・オベーション。私の次に登壇予定だった眼科の有名なお医者様が、「あなたの後はやりにくかったなあ」と苦笑いなさったくらいです。

この時、冒頭の自己紹介は、英語でしなくちゃなりませんでした。英語だって、何年も通った英会話教室で、先生に見放されるくらいへたくそな「マーチャンイングリッシュ」なんですよ。それでも何とかなるもんです。

しばらくして、ニューヨークの国連本部でもスピーチをすることになってしまいました。「マーチャンイングリッシュ」が国連でも披露されたわけです。

「TEDxTokyo2014」で世界へ向けてスピーチ

米国アップル社の開発者向け会議「WWDC2017」でティム・クックCEOと

「世界最高齢プログラマー」、アップルのＣＥＯに会う

そのうち、世の中にはスマートフォンが登場してきました。

外出先でもインターネットにアクセスができ、アプリを追加することでどんどん新しい機能が増えるなど、今や私たちの生活になくてはならない機器になりました。

もちろん私も旅先などで便利に使っていますし、その後の世界を変えたすごい発明だと思います。ただ、タッチパネルを使ったスワイプ（画面に触れたまま指

をすべらす）やスクロールは、私たちシニアにとって使いにくいことも確かじゃないでしょうか。アイコンだってあんなに小さくて、いつも押したいマークのお隣を押してばかりです。

何より私が不満に思ったのは、スマートフォンにシニアが楽しめるアプリが見当たらないことでした。それでゲームの分野に詳しい友人に、「作ってよ」と頼んだところ、「マーチャンが自分で作ってみたら？　わからないことは教えますよ」と言われてしまって。

プログラミング（意図した処理を行うようにコンピューターに指示を与えるプログラムを作ること）はまったく初めての経験でしたが、本を読んだり、友人に教わったりして何とか半年かけて完成させたのが、「hinadan」。スマートフォンの画面上で、お雛様を正しい位置に並べるというだけのシンプルなゲームです。

２０１７年にそのアプリをアップル社に申請して公開したとき、「82歳の世界最高齢プログラマー」とちょっぴり話題になりました。その新聞記事を見たＣＮ

N（アメリカのニュースチャンネル）から「取材をしたい」と言われ、ニュースサイトで配信された動画が、通信社から世界中に拡散されたようなのです。数日後、友だちから「うちの娘がバングラデシュにいるのだけど、『アルジャジーラ（中東の国際衛星テレビ）の番組でマーチャンが紹介されていた』と申していますが」とメールをもらって、びっくり仰天したものでした。

次の驚きは、アップルCEO（最高経営責任者）のティム・クックさんが「hinadan」に関心を寄せて、世界のアプリ開発者が集まるイベント「WWDC（Worldwide Developers Conference）」に招待してくださったこと。

クックさんと個人面談させてもらったときに「シニアは指先が乾燥しがちで画面がうまく反応してくれないから、改善してほしい」と一生懸命お願いしました。あれから6年ほどたちますが、今のところまだ改善はされていないようですね。

今日は官邸、明日は地方の老人会。こんなに超多忙な米寿を迎えるとは

ＷＷＤＣの後には、日本の政府から「人生１００年時代構想会議」の最年長有識者メンバーとしてお声をかけていただきました。最初はさすがに驚いて、「私は高校しか出ていませんし、専門家の先生と並んで〝有識者〟の席に座るような立場ではありません」とお断りしたのですが、担当の方から「時代が変われば、有識者の定義も変わるのです」と説得されてしまって。

まだ返事を迷っていたときにふと頭に浮かんだのは、「82歳の世界最高齢プロ

グラマー」としてメディアに出始めたとき、同世代の皆さんから「励まされました」「私も頑張ろうと思いました」という声がたくさん届いたことでした。

「きっと私以外の皆さんにも、デジタル社会と言われてもよく分からないとか、スマートフォンが使いにくいとか、言いたいことはいっぱいあるはず。それを政府や企業の偉い人に伝えるのがマーチャンの役割なんじゃないかしら」と思ったのです。それだったら私にもできる、私じゃなきゃ言えないこともあるはず。世の中に求められているなら、ちゃんとそれに応えなきゃと考えて、そうしたお堅い会議にも真面目に出席するようになりました。

現在では内閣府の「デジタル田園都市国家構想実現会議」にも民間有識者として参加するほか、デジタル庁などの仕事のお手伝いもしています。

おかげさまで、こうして本を出したり、メディアに出てお話しさせていただいたり。基本的に来たご依頼はほぼお断りしないので、Ｇｏｏｇｌｅのカレンダーには、北海道から沖縄まで講演会の予定がびっしり。地方での活動では、大人のための社会塾「熱中小学校」のボランティア先生も楽しんでやらせてもらっています。

リタイアしたときには、米寿を迎える今日まで、まさかこんな忙しくて充実した日々が待っているとは思ってもみませんでした。

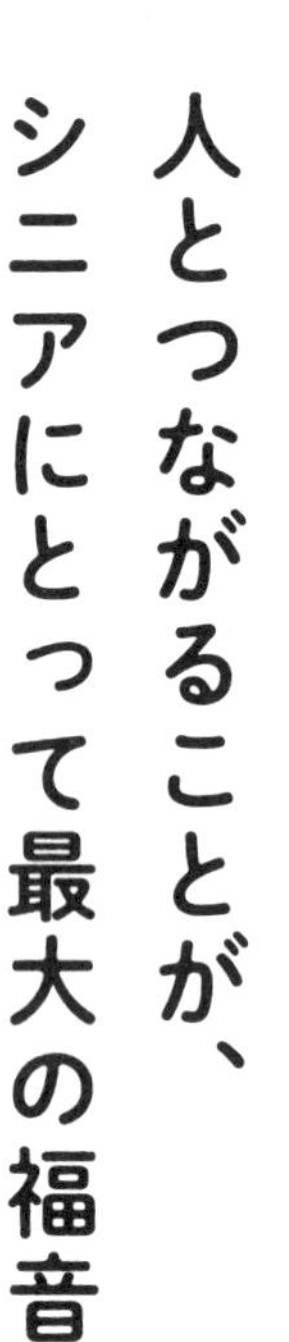

人とつながることが、シニアにとって最大の福音

「メロウ倶楽部」には、チャットルームといって会員同士が文字でおしゃべりを楽しむ場があります。入会申し込みのときにハンドルネームという、メロウ倶楽部の中で使う名前を決めます。私の「マーチャン」も、そのハンドルネームが由来です。

妻に先立たれて独居老人になった兄も、私と同じ頃に「唐辛子紋次郎」というハンドルネームでメロウ倶楽部の会員になりました。皆さんは「もんちゃん」と呼んでくださいます。わざわざ連絡をしなくても、兄がチャットルームに書き込んでいるのを見ると、「お、今日も元気そうだな」と確認ができていました。

そんな兄が1年ほど前のお正月、急性心不全で倒れたときに足の骨を複雑骨折し、入院してしまったのです。90歳を超えているので、さすがに私も「退院しても寝たきりになってしまうかな」と覚悟をしました。

ところが3週間くらいしたとき、チャットルームに入院中のもんちゃんから「地獄の三丁目から帰還してきた」と書き込みがあったのです。するとユーモアのある他の会員が、髪の毛がやや不自由な兄に対して「おおいに禿増し、、、てあげましょう」と返してくれて。本人も「そのうち1キロメートルは歩きたい」なんて調子に乗ると、「いけいけ、もんちゃん」「がんばれ」と応援のメッセージが次々と書き込まれていきました。

そうした皆さんの励ましを受けて、当初は車いす生活だった兄は病院で懸命なリハビリを続け、杖を使って歩けるようになり、退院してからはなんと杖なしで歩けるようになったのです。

会員には自宅で寝たきりの生活を送っている方や、高齢者施設に入居している方もいます。体がしんどいときや、眠れないとき、家族との関係に悩んでいるときなどに気持ちを書き込むと、誰かが反応してくれるのも心強いものでしょう。

介護をする人や、介護をされる側の人が、なかなか明かせない胸の内を書き込めるところも、シニアの交流サイトならではの良さだと思います。

そうしてインターネット上に自分の居場所があること、いつでも人とつながれることが、大きな心の支えになる。これからますます進むデジタル社会では、コミュニケーションこそがシニアにとって最大の恩恵になるのではと、私は考えています。

第4章

老いの苦手も、デジタルが補ってくれます

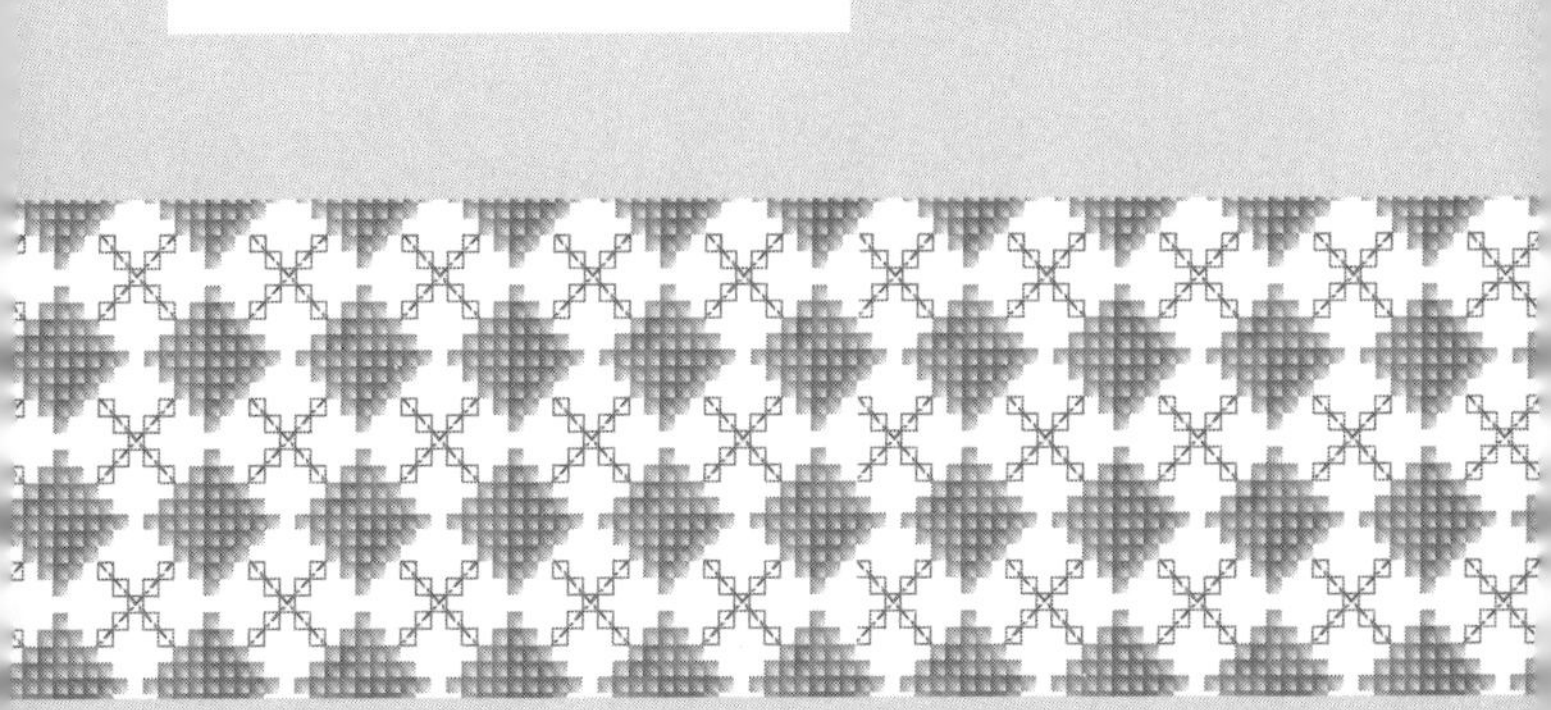

ヒント 1

シニアの**安心と安全、**デジタル機器に頼れます

年をとれば目が悪くなる、耳も遠くなる、膝や腰が痛くなって遠くまで歩けないといった不調が出てくるもの。思うように体が動かなくなるのにともない、生活でいろいろと不便なことも出てくると思います。

新しいことが覚えられない、教わってもすぐ忘れちゃうこともあるでしょう。時代ばかりがどんどん先に進んで、取り残されてしまう不安をお感じになるかもしれません。

でも、どうぞご安心を。デジタルと仲良くなることで、老いにまつわる不安や不便さ、また喪失感といったマイナス要素を解消したり、ポジティブに転換することもできるんですよ。

この章では、私たちシニア世代の暮らしを安心・快適にしてくれるデジタル機器の活用方法、デジタルを使った新しいサービスの使いこなし術についてお伝えしたいと思います。

「あらこれ便利！」「やってみたら楽しい」と思えたならば、しめたもの。どしどしチャレンジして、デジタル上級者をめざしてみましょうよ。

ヒント2

待ち時間短縮、うっかり忘れ防止に
オンライン予約

シニアが使い方を覚えると、毎日の暮らしがぐっと快適になるものとして「オンライン予約（ネット予約）」があります。

記憶に新しいのは、新型コロナワクチンの接種予約でしょう。始まった当初は電話で予約したくてもつながらず、つながってもすでに予約がいっぱいということもありましたよね。その点、空いている日時や近くの会場が分かりやすいオンライン予約の方が、快適だと実感した人も多かったのではないでしょうか。

私がオンライン予約で便利に使っているのが、病院の診療予約です。予約状況が分かる画面から空いている日時を選べるので、待ち時間が以前よりぐっと短縮できます。コロナの感染もまだ心配な時期、病院に滞在する時間をなるべく短くできるのはありがたいこと。かかりつけのお医者さんがオンライン予約を始めているなら、ぜひスマートフォンから試してみてはいかがでしょうか。

美容院やレストランは、電話でもオンラインでも予約できるところが増えてきました。オンラインで予約をすると、記録が残るのがありがたいですね。登録したメールアドレスに確認メールが来るかどうかはっきりしないときは、申し込みの画面の記録を写真（スクリーンショット機能といいます）で残しておくと安心です。

ヒント 3

旅行プランの比較も観劇も。**お楽しみはウェブ**から始まる

公共のサービスにも、オンライン予約が広がっています。たとえば図書館の予約システムは、すでに使っている人も多いのではないでしょうか。図書館で利用者登録をして、借りたい本の書名や著者名で検索し受け取りの図書館を選んで予約。住まいとは別の自治体の図書館の本を取り寄せることもできます。

美術館・博物館も、日時を指定してオンライン予約をできるところが増えてきました。映画館のオンライン予約は画面に表示された座席表から空席を選び、通

路側やスクリーンの近くなど好みの座席が予約できます。

旅行好きの方なら、たとえばＪＲ東日本のオンライン予約サイト「えきねっと」を利用すると、新幹線や特急列車の料金が窓口で買うよりずっとお得になります。ほかの私鉄、高速バスでもオンラインでの予約による割引サービスがあるので、窓口で買う前に、一度調べてみてはいかがでしょうか。

ホテルや旅館は、いくつものプランを比較できる予約サイトが便利です。

旅行の代金など費用が発生するものについては、キャンセルの期限や費用をあらかじめ調べておくと安心。宿の料金などは従来どおり現地決済で支払う方法もあるので、クレジットカードの情報などを入力するのが不安な場合は、そちらを利用しても良いかもしれません。

最後に注意していただきたいことが一つあります。予約には電話番号など個人情報を入力する必要があるので、無料のＷｉ‐Ｆｉを使っては行わないようにしてくださいね（詳しくは１４４ページからのコラムをご覧ください）。

ヒント4

レストランの注文も**タブレットで。**
間違っても何も取られませんからご安心を

お店のスタッフが注文を取りに来てくれるのではなく、テーブルに置かれた端末（タブレット）から注文する飲食店が増えています。

私がよく行く駅前のカフェも近所のファミレスも、回転寿司も今ではタブレットオーダーです。新しもの好きのマーチャンは、ウキウキと「あらどうやるのかしら」「合計金額もわかって便利ねえ」と楽しんでいます。メニューの画像を見ながら注文ができるので、耳が不自由な人や、外国の方にも好評だといいます。

でも「間違って注文したらどうしよう」「口で伝えたほうが早いのに」と思う方もいらっしゃるかもしれませんね。

ならばこう考えてみてはいかがでしょう。タブレットオーダーは、忙しいお店の人をわざわざ呼ばなくても、ご自分の好きなタイミングで注文できる方法です。ですから急がずゆっくりでかまいません。

間違えたらどうしようという不安については、最後に注文内容を確認するページが出て来るので、そこをしっかり見て確認します。お店の人はその場にいるわけですから、もし私がケーキ1個を10個と間違えて入力しても、「あんな小柄なおばあさんが10個も食べるだろうか？」とおかしいと思えば、確認に来てくれるんじゃないかと思います。

使い方がわかるマニュアルを用意してくれる場合もありますし、お店の人の前で一回自分で注文して、「これでいいのかしら？」と確かめると、早く覚えられるかもしれません。一回成功してしまえば、他のお店の端末でも、それほど操作に違いはないはずです。もし入ったお店が知らない方式だったら、「あら、新しく練習ができてラッキーだわ」くらいの、前向きな気分でトライしてみましょうよ。

ヒント5

小銭でもたもたするよりも**スマホ決済**で「ピッ」

私の母は30年近く前に銀行のATMを使い始めた頃によく、「自分の番が近づくとハラハラドキドキした」といっていたものでした。母いわく、「もし操作を間違えて機械が動かなくなったら、後ろに並んでいる人に迷惑がかかるじゃない」と心配だったそうなのです。

ここ数年、スーパーやコンビニで使われるようになった「スマホ決済」に、同じような印象を持っている人も多いかもしれませんね。「若い人たちのように使いこなせるか心配」「レジでもたもたして迷惑をかけないかしら」なんて。

でも明治生まれの母だって、何度かやっているうちにすっかりATMに慣れたように、スマホ決済も始めてみれば意外と簡単なものなのです。

私はもともと指先が不器用なところがあるので、お財布から小銭を取り出すのがひと苦労でした。シニアの場合、小銭を数えるのが面倒になっていつもお札で支払うため、「自宅に小銭がいっぱい溜まっている」といった悩みをうかがうこともあります。

レジで自分の順番が意外と早く来てしまったとき、「お財布、お財布」とバッグの中を探して見つからないと、それだけで焦ってしまいます。現金を使わず、スマホ一つでスマートに会計ができる「スマホ決済」は、むしろレジで後ろの人を待たせないで済む方法だと考えてみてはどうでしょう。

スマホ決済には、「PayPay（ペイペイ）」や「LINE Pay（ラインペイ）」などたくさんの種類があります。スマホ決済を始めるときは、まずアプリをダウンロードします。いつも行くお店で使えるものを選びましょう。支払方法は、クレジットカードや銀行口座と連携させる引き落とし方式と、入金した分だけを使用できるチャージ方式があります。

引き落とし方式は、残金が不足してレジで「あら足りないわ」と慌てる心配がありませんが、つい使い過ぎたり、スマホをなくしたときに不正利用される心配もあります。それが不安な場合は、チャージ方式から始めるといいでしょう。

ＰａｙＰａｙなどバーコードやＱＲコード決済の支払いも、難しく考えず、スマホが「ピッ」と鳴ればＯＫ。軽い気持ちでやってみましょう。

バーコードやＱＲコードを提示して読み取ってもらいます

ヒント6

あせらずゆっくりセルフレジ。高齢者の上達はお店も嬉しい

デジタルを使った買い物にまつわる新しい流れに、「セルフレジ」があります。ご近所のスーパーでも、お客さんが自分でピッピッと商品のバーコードを読み込ませたり、精算機で代金を支払う光景がすっかり当たり前になっています。

一気に広まったきっかけは、コロナ禍でした。ウイルスの感染拡大を防止するため、人と人の接触をできるだけ減らしたいという背景があったのでしょう。とはいえコロナが収まったとしても、これからの日本は慢性的な人手不足で、レジ

係の店員さんが商品を読み取って精算までしてくれる親切なサービスは、だんだんと減っていくのは仕方のないことでしょう。

新しいこと大好き、「機械は素敵なお友だち」がモットーの私マーチャンは、近所のお店がセルフレジを導入したと知ったら、すぐにも試しに出かけます。

「レジ袋はいりますか」「ポイントカードは持っていますか」など画面に入力することがいろいろあって面倒だったり、お店ごとに手順の違いがあったりしても、ゆっくりやれば大丈夫。

わからなければ、近くにいる店員さんに聞いてみればいいのです。「忙しそうで悪いわ」なんて思わなくて大丈夫。お店の人もわれわれシニアには早く慣れてほしいので喜んで教えてくれます。

7 ヒント

ネットバンキングはむしろシニア向き

なんでも現金で払っていた頃には、お財布を見れば「あといくら使えるお金があるか」が、すぐにわかりました。でもキャッシュレスの時代には、いちいち銀行で残高を調べないと、「自分が使えるお金」が把握できません。

年金は2ヵ月にいっぺんの振り込みですから、うっかりして「あら今月はお金が足りないわ」ということになっても困りますよね。

ネットショッピングをしたのを忘れて、「どうしてこんなに残高が少ないのかしら」と不安になり、記帳してみたらクレジットカード会社からの引き落としだとわかって、「なーんだ、あのときの買い物ね」と思い出したり。よくあることです。

このように、世の中のキャッシュレス化が進むにつれ、「見えないお財布」である銀行口座の確認が大切になってくるのです。

ところが最近は、銀行の支店の統廃合が進んだり、近所にあったATMがなくなってしまって、「通帳に記帳するのも、電車やバスに乗って隣町まで」という方も増えているのではないでしょうか。年齢を重ねると、それもだんだんおっくうになりますよね。

そうしたシニアの強い味方が、「ネットバンキング」です。これは、銀行窓口やATMに行かなくても、口座残高や入出金明細の照会、振込、定期預金の解約などがインターネット上でできるというサービスのこと。

似た言葉に「ネット銀行」がありますが、これはもともと実店舗を持たずに、すべての取引をウェブやメールで行う、インターネット専業銀行のことです。

今では、ほとんどの銀行でネットバンキングが利用できます。すでに口座を持っている銀行なら、パソコンやスマートフォンから比較的簡単な操作で利用が開始できることが多いようです。

実際の操作も、ネットショッピングなどで「会員登録」「ログイン」を経験なさっていれば、さほど戸惑うことはないと思います。銀行ごとにインターネットバンキングについての相談窓口（コールセンター）も用意されていますから、電話をしながら操作を教えてもらうこともできます。

まずは「残高照会」と「取引明細」だけでも、できるようになさってはいかがですか。慣れてきたら、「振込」にもチャレンジ。コンビニや他行のＡＴＭから振り込むよりも手数料がかかりません。

「どうしても安全対策が心配」と思われる方もいるでしょうか。いちばん怖いのは、勝手に自分の口座のお金を他の口座に振り込まれて盗まれてしまう、不正送金だと思います。

対策としては、最初に設定する暗証番号やログイン用パスワードの安全性を高めること。今は銀行のほうで「ワンタイムパスワード」を利用することで安全性を高めていますから、トラブルが起きる心配もないと思います。

ネットバンキングで取引があると、メールにお知らせが届きます。もし身に覚えのない通知が来たら、すぐに口座を確認してくださいね。

メールで要注意なのは、銀行を装った詐欺メールです。たいていはメッセージ欄にＵＲＬ（アドレス）が入っていますが、これは絶対に開かないこと。本物そっくりの偽ログイン画面が表示され、口座番号やパスワードを入力させられてしまう場合があるからです。ログインは必ず、銀行の公式サイトやスマホのアプリから行いましょう。

インターネットにつながっているときの安全対策については１４４ページからのコラムもご覧ください。

ヒント 8

Zoomに入れると、学びも遊びも広がります

コロナをきっかけに、習いごとや学びの場で注目を集めているのがオンライン講座。パソコンやスマートフォンを使って、自宅にいながらさまざまな講座を受けることができます。周りの目を気にする必要がないので、初心者でも恥ずかしがらずに参加できるところも、オンライン講座の良さでしょう。

カルチャーセンターなどでもよく利用されるのが、ビデオ通話ツールの「Ｚｏｏｍ」です。他のいろいろなオンライン講座もＺｏｏｍで開催されることが多い

ので、ぜひ使えるようになっておきましょう。もちろん単なるおしゃべり会や、ハイキング会の打ち合わせなどにも使えます。

基本の機能は誰でも無料です。準備するのは、インターネットが使えるパソコンやスマートフォン、タブレット。最近のパソコンならカメラとマイクは内蔵されているようです。さらにヘッドホンやイヤホンを用意しておくと、周りの音が気になるとき、集中して聞きたいときに助かります。

お次にＺｏｏｍのアプリです。講座を申し込むと主催者から「招待ＵＲＬ」がメールで届きますので、案内に従って操作を進めればダウンロードが完了。スマートフォンやタブレットの場合は、Ｇｏｏｇｌｅプレイやアップルストアからアプリ（Zoom - One Platform to Connect）を入れておきましょう。

当日になって「つながらない」「音が出ない」と慌てないために、招待ＵＲＬからＺｏｏｍにつないで「ミーティングに参加」をクリック。「コンピュータオーディオのテスト」画面で、マイクの音量などを確認しておくと安心です。

ヒント 9

新しい「発表の場」も、「仲間づくり」も

もともと趣味をお持ちなら、発表の場をインターネット上に持つことで、世界が大きく広がります。

ひとりでコツコツ楽しむのもいいけれど、やはり誰かに見せて褒めてもらうと励みになって、「もっと上達したい」と思うもの。最初はささやかに、お友だちや家族にＬＩＮＥなどでお披露目するだけでもいいのです。「雛祭りにちらし寿司を作りました」なんてコメント付きで写真を送って、「美味しそう！」「器のコ

ーディネイトも素敵だわ」とおしゃべりが弾むのも嬉しいですよね。

もっと多くの人に見てもらうために、インスタグラムやTwitter、YouTubeといったインターネット上のサービスを使ってみてもいいですね。最近は本屋さんで、シニアの手作りアートや手芸の作品集、ひとり暮らしの知恵といった本を見かけませんか。こうした本もきっかけは、お孫さんなど周りの人が「たくさんの人に知ってもらいたい」とSNSで紹介したのが始まりということが多いそうです。

SNSは海外の人がアクセスできますから、手鞠のような手芸や和食のレシピ、伝統芸能など日本的な趣味が意外な人気を集めるのでしょう。多くの人から注目されるので、いきなりの「世界デビュー」も夢ではないかもしれません。世界中の、同じ趣味を持つ人たちとのコミュニケーションも楽しめるでしょう。

私も「メロウ倶楽部」の俳句の会で作品を発表したり、自己流で覚えた上方落語をYouTubeにアップして楽しんでいます。

ヒント 10

「こんなこと聞いたら恥ずかしい……」。ならば〝**検索**〟の出番です

デジタルをもっと活用したい、でもよくわからない。そう思う方はたくさんいます。ならば「検索」をいっそう活用してみましょう、とお伝えしたいです。

ネットのサービスを試してみたいけれど、会員登録の画面に出てくる「アカウント」や「ＩＤ」といったネット用語がわからなくて先に進めないとき。

スマートフォンやパソコンの操作で何か疑問が出てきたとき、いちいち家族に尋ねたり、携帯ショップに聞きに行くのはおっくうですよね。「おばあちゃんっ

たら、また?」なんて嫌な顔をされたら、次回から聞きにくくなりそうです。

インターネットの検索機能は、たくさんの人が利用して知恵が集まることで、どんどん精度が上がっています。スマートフォンの使い方など、世界中の人があでもない、こうでもないと悩んでいるのですから、皆さんの知りたいことも必ずどこかに答えがあるはずなのです。

今はAIがわかりやすく説明してくれるチャットGPTというすぐれものもあります。これを検索に使うのもよいと思います。実はシニアにとっては使いやすい検索手段ではないでしょうか。AIなんて何やら難しそうですが、「難しいことをやさしく説明すること」もAIの得意技なのです。

「こんなこと聞いて恥ずかしい」という基本的なことだって、どんどん検索してしまいましょう。私だって、いまだに「あら、これはどうだったかしら」という疑問を検索で調べます。そうすると、どんどんデジタル機器という相棒と仲良くなれますし、「へえあなた、こんなこともできるの。偉いわねえ」って新しい機能が見つかる場合もあるのです。

実際に検索するときは、Ｇｏｏｇｌｅやｙａｈｏｏ！の最初の画面にある「検索窓」に単語をいくつか区切って入力するか、文章で入力しましょう。最近は検索サイトの能力もずいぶん上がっていますから、知りたいことを素直に入力すればだいたい結果は出てきます。

たとえばスマートフォンの文字を大きくしたいなら、「スマホ　文字　大きく」とキーワードを複数入力してもいいですし、「スマホの文字が小さくてこまる」と文章で入力してもいいのです。

すると「スマホの文字サイズを変更する方法」「画面の一部を拡大する」など関連するサイトが順に表示されます。

入力する言葉は、うろおぼえでも、多少間違っていても大丈夫。シニア向けのデジタル教室で、「横浜のデパートを調べたいのだが、髙島屋は前に㈱がつきましたかな、後ろでしたかな？」「シはＳＨＩかＳＩか……」といった質問をいただいたことがあるのですが、どっちだっていいんです。なんなら「タカマシヤ」と誤って入力してもちゃんと検索できますし、少々間違えても「もしかして：高島屋」と訂正もしてくれます。何度検索してもお金はかかりませんし、「何回同じこと聞くの？」なんて叱られることもありません。

ヒント

11 若い人よりシニアが検索上手なのはなぜ？

「検索」を使って怪しいメールを見分ける方法があります。見覚えのないアドレスからのメールや、「緊急のお知らせ」「今すぐお金を振り込んで」といった怖い内容のメールが来たら、「送信元のアドレス」や「件名」「内容」をそのまま検索ボックスに入力してみましょう。すると、同じ経験をした人から「そういう詐欺メールが増えています」と教えてもらえたり、「すぐ削除しましょう」といった対処法を見つけることができます。

「ほらほら、あれあれ。なんだっけ」と、物事の名前が思い出せないのは日常茶飯ですが、これは年齢のせいばかりではないようです。

というのも、昔にくらべて今は情報の量が膨大なのです。キッチンにある調味料だって、私の母の頃は塩とお味噌と醬油に砂糖、酢、みりんくらいだったでしょう。それが今ではマヨネーズやソースに始まり、豆板醬、ニョクマムと世界中から調味料が集まります。人間の脳におさまる記憶の量は太古の昔から変わっていないのですし、年をとった人の脳の記憶容量はもう満杯です。覚えきれなくても、忘れてしまっても仕方がないと思いませんか。

そんなときも、頼りはインターネット。電脳の世界に知りたい情報をあずかってもらい、必要なときに出し入れすればいいのです。

知っているけど思い出せないことを検索するのは、実は若い人たちより、私たちシニアのほうが得意です。検索では、経験の蓄積がものを言うからです。

たとえば「バルサミコ酢」がわからないとき、「確かイタリア料理に使ったはず」「黒いお酢だった」という経験があることが、強みになるのです。そうしたキーワードを検索ボックスに入れたら、すぐに答えが出るはず。食べたことはあっても、お酢の色まで知らない子どもだったら、なかなかバルサミコ酢までたどりつけませんよね。経験を消化して、発酵させて熟成させたものが検索に活きてくる。これも私たちシニアだからこそなんです。

先日亡くなった大江健三郎さんのお名前を思い出したいときも、「ノーベル文学賞」を受賞したこと、「広島」について書いていたという知識があれば、より早く確実に答えが見つかるでしょう。

「ほらあれなんだっけ」と思ったら、そのままにしないですぐ検索。それは脳の活性化にも、きっと役立つと思いますよ。

ヒント12

教わり上手になろう。「覚える」のはダメ、「理解する」がコツ

私はよく「マーチャンは教わり上手ですね」といわれます。パソコンを始めたときも、初めてゲームアプリを作ったときも、その道に詳しい人に教わりました。デジタルの技術はまさに日進月歩ですから、独学だけではやはり限界がある。わからないこと、うまくできないことは、人に教わるのが近道です。そして教わるときには、三つのコツがあります。

一つには、わからないからといってすぐ人に聞かないこと。矛盾するようです

が、実は大事なことなんです。女性のシニアに多い、「なんだか分からないけど、うまくいきません」といった曖昧模糊とした聞き方では、相手も何をどう教えていいか困ってしまいます。まずは、不明な点を「検索」で調べ、自分なりにいろいろ試してみる。すると、分からないことが何なのかが、少しくっきりとします。

次に、それでもうまくいかない点をピンポイントで聞いてみる。聞かれた側は何が問題なのか把握しやすいですし、教わる側も試行錯誤の後に教わったことは、身につきやすいものです。

これはお医者さんが患者の不具合を、順を追って調べていくのに似ています。「メールが送れない」という不具合があるならば、周辺の状況を確認しますよね。「では、メールの受信はできるのか」って。それもできない。ならば次に、「ホームページは見られるのか」と掘り下げていきます。

スマートフォンの使い方が分からないと、家族にすぐ聞いてしまいがちです。子どもや孫に尋ねるときにも、すぐには聞かない、と心がけてはいかがでしょう。

そして電話よりも文字（ＬＩＮＥやメッセンジャーなど）で尋ねましょう。入力した記録は残りますから、忘れるたびにさかのぼっていけば、忙しい若い人たちに何度も聞かなくて済みます。文字にすることは分からないところを探ることにもなりますし、一石二鳥だと思います。

二つ目に、「怖がらずに触ってみる」ことも大切です。小さい子どもは、教わらなくてもいじくりまわしてデジタル機器の使い方を覚えていきます。多少いじくりまわしても壊れませんし、どうしてもうまくいかないときは再起動しちゃえばいい。最悪の場合は初期化（使い始めの状態に戻すこと）をしてもいいのです。

三つ目に、教わったことは必ずその場で一度、やってみましょう。

私はパソコン教室で教えるときには、「間違えてもいいから、まずやってみてください」とお話しします。教えてくれる人の目の前で「これでいいのかしら」と確認しながら覚えていくと、理解も深まり、しっかりと身につけられるはずです。

教わり上手の三原則

1

すぐ聞かない。
わからない部分を探ってみる

2

こわがらずに、触ってみる

3

覚えるよりも、理解する

ヒント
13

できなくて当然。でも、**楽しんで学んだこと**はきっと花開く

マーチャンもおおいにその傾向があるのですが、「先生の教えるとおりにしない生徒ほど上達が早い」というのもデジタルの面白いところ。私たちの世代は学校で先生のいうとおりにできる人が優等生でしたが、今の時代は教わったことをいかに応用して新しい答えを導き出せるかが、学びの場でも大事なのです。

たとえばスマートフォン教室で地図アプリの使い方を教わるとき、「この会場から駅までの経路を調べてみましょう」といわれたことだけやっていても、その

場でできた気分になるだけで、家に帰った頃には忘れてしまうかも。「じゃあ自分の家からかかりつけの病院までは、どう調べよう？」「徒歩じゃなくて自転車だったら？」と次々触っていくことで、応用ができるようになります。

私がいちばん大切にしているのは「楽しんで学ぶこと」。吉田兼好の『徒然草』には、芸事を身につけるときに「うまくないうちから上手な人に混じって、けなされても笑われても平然と稽古する人は、最終的に名人の境地にいたる」と書かれています（第150段）。これはまさに、デジタルが上達するための心得にぴったり。人生の後半で突然デジタル機器に出会った私たちシニアは、うまくできなくて当然。できることからコツコツとやってみましょうよ。

そのうちに、こんなに楽しいことをひとりで抱え込んでいてはもったいない、という気持ちになるかもしれません。スマートフォンの使い方や便利なアプリを新しく覚えたら、ぜひ誰かに教えてあげましょう。教える行為によって、自分の頭の中も整理されて、より理解が深まります。

ヒント 14

家族とおそろいが上達の近道

シニアがスマートフォンを持つ場合、家族など教えてくれる人と種類（iPhoneかAndroidか。Androidの場合はメーカーと機種も）をおそろいにしておくと、分からないことがあったり、トラブルが起きたときにも相談がしやすくて安心だと思います。

各種の設定も、初めてですからまごついてしまいます。できれば詳しい若い人にお任せするか、どうすれば使いやすくなるか考えてくれる人と一緒に設定をして、その画面を共有しておく（相手のスマートフォンで撮影してもらう）と、その後の相談もスムースになります。

お願いできると助かるのは、たとえばこんなことでしょうか。

自宅のＷｉ‐Ｆｉを最初に接続すること、スリープ（一定の時間使わなかったときに画面を消灯させる機能）するまでの時間、文字サイズやアイコンの大きさ、アプリの更新通知、画面の明るさ、画面の自動回転（使いにくければオフにする）など。

また携帯ショップで購入した時点で、不要なアプリがたくさん入っている場合もあるので、これも相談しながら削除してもらいましょう。

パソコンの場合は、さらに初期設定が大変です。有料でサポートしてくれるサービスもあるので、お金を払って快適な環境を作る、と割り切るのも一案です。少しでもラクにデジタルとのお付き合いを始められると、楽しく前向きに続けられるのではないでしょうか。

若者にお願いできると助かる「設定」

- 自宅のWi-Fi
- スリープするまでの時間
- 文字・アイコンの大きさ
- アプリの自動更新
- 画面の明るさ
- 画面がくるくる回転しないようにする

ヒント 15

災害の備えとしてのスマートフォン

日本は、地震や台風、大雨による河川の氾濫、土砂崩れなど自然災害がとても多い国です。インターネットを使えれば、いざというときに自分や家族を守る大切な情報を、確実にキャッチすることができます。

スマートフォンでまず確認したいのが、国や地方公共団体が対象地区にあるスマホに一斉送信する「緊急速報メール」の受信設定。スマートフォン本体の設定の通知は必ず「オン」にしておきましょう。

災害時の情報収集などに役立つアプリをインストールしておくこともおすすめです。たとえば「Ｙａｈｏｏ！　防災速報」は自分だけでなく家族の居住地など3ヵ所まで登録でき、緊急地震速報・地震情報、津波予報、大雨危険度、豪雨予報、土砂災害情報など受け取りたい情報をプッシュ通知（アプリを起動しなくても通知を表示する機能）でお知らせしてくれるアプリです。

災害時には信頼できる情報が欲しいですね。公的機関からの情報を得るには、Ｔｗｉｔｔｅｒで「内閣府防災」「気象庁防災情報」、またお住まいの自治体のホームページを「お気に入り」や「ブックマーク」に登録しておくといいでしょう。

普段から皆さんがよく利用しているＬＩＮＥは、もともと東日本大震災のときに多くの人が家族と連絡が取りにくかったという状況をもとに誕生したアプリです。普段のやりとりとは別に、家族と「緊急連絡」用のグループを作っておくと、電話がつながらないときもお互いの安否確認ができます。

このように災害時の生命線となるスマートフォン。停電になったときも充電ができるように、電池を使うモバイルバッテリーを準備しておくと安心です。またスマートフォンの設定を「省電力モード」にしたり、使わないときはＷｉ‐Ｆｉをオフにすると災害時停電になったときにもバッテリーの節約になります。

避難指示や避難所の情報などを市町村から住民に伝達する場合も、最近は携帯電話やスマートフォンに対して一斉に配信されることが多く、固定電話（黒電話）しか使っていない人はあらかじめ登録をしておかないと必要な情報が届かないケースも今後は増えていくでしょう。高齢者こそ早めに安全なところへ避難する必要があるのに、固定電話しか持たないがために情報が届きにくいというのでは困ります。

つまり、シニアの私たちがスマートフォンに慣れておくことも、大事な防災の備えになるのです。

将来的には、その地域に住む高齢者は年齢、家族形態、住まいは何階建ての何階かなどを登録し、その情報に沿って「避難しますか」「ひとりで行けますか」

などの問い合わせが来るようになるかもしれません。「私は公民館に行きます」と返事をすると、現場では「若宮正子さん、88歳が公民館に避難します」と情報を得て準備が進む……というように。

たとえばマイナンバーカードの情報とうまく連携することで、本人の健康状態や必要とする医療の情報を伝えられたり、銀行口座へすみやかに支援金が振り込まれたり。そういった形で役立つことが分かれば、マイナンバーカードの制度ももっとスムーズに浸透すると私は考えているのですが、皆さんはどう思われますか？

スマホの防災対策
これだけは

- 「緊急速報メール」の設定を「オン」に
- モバイルバッテリーを用意しておく
- 「省電力モード」への切り替えかたを知っておく
- 自治体のホームページはすぐ見られるよう設定
- 緊急時に役立つアプリはあらかじめ入れておく
- 家族とグループLINEを作る

ヒント 16

聞こえの不安も
デジタルの技術が補ってくれます

年齢とともに私も聞こえが悪くなっていて、人とお話しするときは補聴器をつけるようになりました。といっても講演会のときなどは、自分が勝手におしゃべりすればいいだけですし、補聴器をつけないままで登壇することが多いのですけれど。

最近は、音をデジタル信号に変換して聞き取りやすく調節するという高度な技術を使った「デジタル補聴器」というのもあります。一人ひとりの聴力に合わせてきめ細かな設定もできるようになり、従来の補聴器にくらべて、ぐんと使いやすくなっているそうです。

最近の研究では、難聴は肥満や高血圧、糖尿病と並んで認知症の危険因子の一つとされています。難聴のためにコミュニケーションがとりにくくなると、人との会話を避けるようになって、社会的に孤立してしまう危険があるといわれます。「補聴器なんて年寄りくさい」などと思わず、聞こえにくさが気になってきたら補聴器を上手に使いこなしてみるのも、これからのシニアには大切なことだと思います。ただ、メガネなどに比べても高いのが難点ですね。

聞こえづらさはあるけれど、まだ補聴器を作るほどではないという人には、「ワイヤレスイヤホン型の集音器」というものもあります。雑踏の中での会話やテレビの音がクリアに聞こえるだけでなく、スマートフォンで音楽や動画を楽しむときにも使えておすすめです。

また：iPhone（：iOS14・3以降）に入っている「ライブリスニング機

能」と、ワイヤレスイヤホンの「Ａｉｒ Ｐｏｄｓ」などを組み合わせると、スマートフォンが集めた音を大きく聴くことができます。これも、騒がしいところで話し声を聴き取るときには便利に使えます。テレビの前にスマートフォンを置いて、離れたキッチンで音を聴くといったこともできます。パソコンの音を拡大して聴くブルートゥース（Bluetooth）という通信形式のスピーカーも使っていて、助かっています。

テレビの音が聞こえづらくなって、家族に「音が大きすぎる」と言われるのでしたら、「手元スピーカー」といって、自分の近くに置いてテレビの音を聞こえやすくする商品もあります。早口の言葉や若い女性の声も、聞き取りやすいそうです。

ヒント 17

使い勝手をよくするため、「設定」を変えちゃいましょう

北海道から沖縄まで、毎週のように各地へお呼ばれしていますと、飛行機や新幹線の待ち時間ができます。そんなときに格好の暇つぶしにしているのが、スマートフォン本体の「設定いじり」です。

皆さんは、普段使っているスマートフォンの「設定」を変更したことがありますか？　もしかしたら携帯ショップで買ったとき、誰かが設定してくれたときのままで使い続けていないでしょうか。

ｉＰｈｏｎｅでもＡｎｄｒｏｉｄでも、ホーム画面に「歯車」の形をしたアイコンが見つかるでしょう。そこから「設定」に入ると、たとえば画面の文字のサイズを大きくしたり、画面の明るさを見やすいように調節したり、アイコンを大きく表示して操作をしやすくするなど、自分に合わせて変えられます。

スマートフォンには、利用するすべての人ができるだけ便利に扱えるように、視覚・聴覚にハンディキャップのある人や高齢者に向けての機能が備わっています。たとえば画面に表示されている文章を読み上げてくれる機能や、電話の音声を文字に起こしてくれる機能は、目や耳のおとろえを補ってくれるでしょう。歯車の「設定」から、「アクセシビリティ」（ｉＰｈｏｎｅ）、「ユーザー補助」（Ａｎｄｒｏｉｄ）という項目にあります。

シニア世代には白内障に悩む人も多いかもしれませんが、白い画面がまぶしくて見えにくい人は、「色反転」で黒い画面に白い文字の設定にするとずいぶんと読みやすくなるので、おすすめです。

他にも、シニアが使いやすくなる機能はいろいろあります。私自身、あれこれいじっているうちに「あらこんな機能があったのね」と発見することもよくあります。「戻せなくなるのが不安」という方は、初心者のうちはご家族やお店の人に手伝ってもらうとよいと思います。お時間があるときに、皆さんもぜひ「設定いじり」をして自分専用のスマートフォンに作りかえてみませんか。

シニアが嬉しい

ささやかなスマホのアイデア

拡大鏡にもなります

スマホには、シニアにとってありがたい機能がたくさんあります。

たとえば画面の「拡大」。親指と人差し指を画面に触れた状態にして、指の間隔を広げていくと、画面上の文字や写真が大きくなります。

最近、新聞は文字が大きくなってきましたが、疲れていると目がしょぼしょぼして見えにくい。薬の説明書や、食品のパッケージに書かれた作り方、レストランのメニューはどれも文字が細かくて「虫メガネが必要だわ！」と思うことがあると思います。そんなときに役立つのが、スマホのカメラアプリです。

たとえば新聞を読みたいとき、写真を撮るときのようにカメラアプリを立ち上げます。そして読みたい文章の上に画面をかざすと、新聞の文字が映りますから、画面を拡大すれば、映った文字を大きくすることができます。

さらに便利なスマートフォンのアプリを、最近知り合いから教えてもらいました。「明るく大きく」というアプリですが、これは老眼や眼の病気などで小さな文字などが読みにくい人のための読字補助用に開発されたそうです。

このアプリでいいなと思ったのは「静止ボタン」の機能です。手元がぷるぷると動くと読みにくい文字も、画面を一時停止することで落ち着いて読めます。

頼れるお薬アラーム

時計アプリの「アラーム」を目覚ましに使っている人も多いかもしれませんが、それだけではもったいない！

「アラーム」の機能では、複数の設定ができるようになっています。時刻だけではなく、曜日や繰り返す回数が選べて、「何のアラームなのか」をラベル（アラーム名）に入力することもできるのです。

私がこの機能におおいに助けられたのが、白内障の手術をしたときでした。経験のある方はご存じかもしれませんが、術後に、抗生剤、炎症止め、感染予防など数種類の目薬や軟膏を1日3回、使わなければいけません。それも、一つさしたら5分あけて次をさすので、忙しいとつい「あれ、赤いキャップの目薬はもうさしたかしら」と混乱しそうになります。

そんなとき役に立ったのが、時刻を何回も設定できるアラームでした。8時30分に「赤いキャップの目薬」、35分「青いキャップの目薬」、40分に「紫のキャップの軟膏」と、その時間にアラームが鳴って教えてくれるのです。

この他にも、「マックス・ピル リマインダー」のように服薬時間になると「ワンワン」と犬の鳴き声がして、薬の飲み忘れがないように教えてくれる専用のアプリもあります。iPhoneの「ヘルスケア」というアプリにも、服薬のスケジュールを管理する機能がついています。

楽しく便利に使って、毎日の健康管理に役立てたいですね。

夜中のトイレに　懐中電灯

ほとんどのスマートフォンには、背面にカメラの撮影ライト（フラッシュライト）が備わっています。このライトは、懐中電灯のように使えますよ。

iPhoneでは、ロック画面の下に懐中電灯のような形のボタンがあります。

Androidは、設定パネル（スマートフォンの画面の上端に指を置き、下へスワイプすると出る画面）から、やはり懐中電灯の形のボタンを探しましょう。

もっと簡単な方法は、「グーグルアシスタント」に頼むこと。「ＯＫグーグル、懐中電灯をつけて／消して」と話しかければいいので、夜中に目が覚めて、照明のスイッチを探すときなどにも使えて安心でしょう。なお「グーグルアシスタント」はアプリをダウンロードしてから使います。

停電になったときも、バッテリーが持つ間は点灯してくれるので、防災の備えとしても覚えておくといいと思います。

私はこうしています

インターネットにつながっているときの安心安全

何でも開いてしまう質(たち)だから、セキュリティは手厚くしています

シニア世代がデジタルを使わない理由として、「セキュリティ対策に不安があるから」という声もよく耳にします。

インターネットのトラブルで怖いのは、自分の個人情報だけでなく、家族や友人の個人情報まで悪い人に漏れて、周りに迷惑をかけてしまうこと。いったんト

ラブルに遭うと、修復や対策に手間と時間をとられるのも嫌なものです。

たとえばスマートフォン。スイッチを入れたらすぐ使える状態になっていたら、それは画面が「ロック」されていない証拠で、家の玄関が開けっ放しなのと同じです。人の手に渡ったスマートフォンを勝手に操作されて、大切な個人情報を悪用されないように、PINコード、パスワード、指紋認証、顔認証などでしっかりロックをかけておきましょう。

好奇心旺盛なマーチャンは知らないサイトをのぞいたり、アプリをダウンロードして使ってみたりすることが大好きです。そのぶん、安易に個人情報を入力しないなど、セキュリティ対策には人一倍気をつけるようにしています。

フリーＷｉ‐Ｆｉで買い物はなさらないで

カフェやホテル、新幹線の車中など、無料でＷｉ‐Ｆｉが使えるところが増えました。「スマホの通信料が節約できる」と利用する人も多いのですが、誰もが自由に出入りできるフリーＷｉ‐Ｆｉは、いわば公の道路でおしゃべりしているのと同じ。セキュリティの保護が甘く、通信内容をのぞかれたり個人情報が盗まれたりするリスクもあるのでご注意を。

道路の真ん中でご自分の電話番号を大声でしゃべったりしないように、無料のＷｉ‐Ｆｉ環境では、ネットショッピングやお店の予約など個人情報の入力が必要なことは避けましょう。パスワードの入力なんてもってのほか！　また外出先でメールを書いたりＳＮＳに投稿したりする場合も、念のためＷｉ‐Ｆｉはオフにして、スマートフォンのデータ通信を使った方が安心かもしれませんね。

インターネット上でお金を動かす不安を減らすには

ネットショッピングやキャッシュレス決済がいくら便利といわれても、自分のお金がインターネット上で支払われるのが「なんだか不安」「金額を間違えないかしら」「使い過ぎたらどうしよう」と思う方もいるでしょう。

私もネットショッピングで個数の入力を間違えるなんてしょっちゅうです。でも銀行勤めの頃と違って、誰に叱られるわけじゃありませんものね。

口座情報の漏洩や、使い過ぎが不安という人は、インターネットだけで使う口座やクレジットカードを作ってはいかがでしょう。口座には少ない額だけを入れ、カードも限度額を低めに抑えておけば安心だと思いますよ。

サブスクは解約方法をチェックしてから入会を

動画の配信や音楽の聴き放題のサービスで最近よく耳にする、サブスク（サブスクリプション）。その都度購入するのではなく、定期的に利用料を払ってサービスを使う権利を得るという方式です。

1回ずつよりも割安だったり、数ヵ月は無料だったりと、気軽に入りやすいのはいいのですが、たいして利用していないのに会費を払い続けるのは嫌ですよね。ところが「行きはよいよい、帰りは怖い」のわらべ歌ではないですが、入会は簡単でも退会がなんだか難しい（やり方が分かりにくい、相談窓口が明記されていないなど）サービスもあるようです。

「面白そう、使ってみたいな」というサービスやアプリがあれば、入る前にやめる方法を確認しておきます。サービスの名前と「解約の方法」「退会しやすいか」で検索をかけてみるのです。これなら自分にもできそうと思えたら、入会手続きに進んでみてはいかがでしょう。

パスワードは専用のメモ帳に

覚えるのが面倒だからと簡単な数字を並べたり、誕生日やペットの名前など簡単なパスワードにしたりすると、悪意のある人にはすぐ見破られてしまいます。

特にお金が動くサービスに使うパスワードは、なるべく複雑なものを作り、また、複数のサービスで同じパスワードを使いまわさないことが大切です。

となると、いろいろなパスワードをすべて覚えておくのは大変。「このアプリを使いたいのに思い出せない！」のも困りますよね。おすすめは、やっぱり紙に書いて残すこと。お気に入りのノートを1冊用意して、新しくパスワードを設定するたびに「アプリ名やサービス名」「ID」「パスワード」「設定日」をメモしておきましょう。

そのノートをなくしてしまった、どのサービスのパスワードか分からなくなった場合はどうしましょう。その場合は「パスワードがお分かりにならない方はこちらから」の画面をたどって再設定をすればいいわと割り切るのも、いいかもしれませんね。

第5章

小さなつまずき、一緒に解決しましょう

Q1

会員登録であれが違う、ここが未記入とはじかれて、永遠に終わりません。

ありますす、ありますす。私もしょっちゅう、「なんでこれじゃダメなの？」と文句をいっていますよ。腹立ちますねえ、本当に。

スマートフォンは入力画面が小さいし、指先が乾燥しているとうまく反応してくれないから、ちまちまと文字を入力するのもひと苦労。おまけに「数字は半角で」「電話番号はハイフン（-）なしで」などサービスによってルールがまちまちだから、間違えたって仕方がありませんよ。

マーチャンの場合は、画面が大きくて操作も慣れているパソコンを使って会員登録をしています。でも、スマートフォンしかお持ちじゃない方も多いですよね

——さて、どうしましょう。

入力するのは、自分のメールアドレスや住所、電話番号、そのサービスを使うときの登録名（ＩＤ）とパスワード。それをスマートフォンの画面から入力するときに戸惑わないように、あらかじめ紙に書き出しておくのはどうでしょう。入力中に「これは半角にしてください」とダメ出しをされたら、そこを赤ペンでチェックして。もし1回でうまくいかずに最初からやり直すとき、次は間違えないで済むのではないかしら。

多くのスマートフォンには「メモ帳」という機能がありますから、そこにあらかじめ入力しておいた情報を「コピー」して「貼り付ける」方法もあります。ただ、この範囲選択をして貼り付ける操作は、シニアがいちばん苦手とするところなんですよね。実はマーチャンも苦手です。

会員登録とは、面倒なもの。1回や2回で終わるはずがないと達観して、美味しいお茶でも飲みながら、ゆっくり取り掛かってはいかがでしょう。

Q2
強く押しても触っても、画面が反応してくれません。

A スマートフォンの画面は、どうもいまだに使いやすくなってくれないですね。別のところでも触れましたが、２０１７年にティム・クックさん（アップル社ＣＥＯ）にお目にかかったとき、「高齢者でも使いやすいように、スマートフォンの画面を改良してほしい」とお願いしたんですけどねえ……。

シニアがスマートフォンの画面をうまく操作できない理由の一つが、「画面を押して」といわれると、ぎゅーっと押してしまうから。「タップ」の場合は1回ぽんと軽くたたく、「フリック」は動かしたい方向へ指先をはじく、「スワイプ」は画面に触れたまま動かして最後に離すなど、かるーく触れることを意識するといいようです。これは慣れることが肝要です。失敗をおそれず何度も練習しましょう。

もう一つの理由は、シニアの乾燥した指先では画面がうまく反応してくれないから。触れても反応がにぶいときは、指先に息を吹きかけたり、おしぼりを触るなどして、軽くしめらせてみるといいという説もあります。

また私の周囲でも使っている人が多いのが、タッチペン。画面に触れて操作するためのペン型の専用棒です。細かい操作にも向いていますし、小さい画面に文字を入力するときに手で隠れて見えにくいという問題も解消されるので、シニアには使い勝手がいいようです。お年を召して、手が震えがちな方にもおすすめと聞きますよ。

ペン先の素材や太さなど種類もいろいろあり、値段も100円ショップで買えるものから数千円のものまでさまざま。ご自分に合ったタッチペンを探してみてはいかがでしょうか。

Q3

私のスマホはどこ？ 失くした？ 盗まれた？

A マーチャンも携帯電話を持ち始めた頃、ひょいっとタンスの上に置いたガラケーが壁との隙間に落っこちて、「いったいどこに行ったの？」と大騒ぎして捜したことがありましたっけ。

お若い人の中にはスマートフォンしか持たない人も増えているようですが、シニアは固定電話もお使いの方が多いのでは。あるいは同居しているご家族からスマートフォンを借りてもいいので、そこから見当たらないスマートフォンへまず電話をかけてみましょう。「ご主人さま～、わたしはここです～」とコートのポケットから返事をしてくれるかもしれません。

そうしたうっかりに備えて、外出先で機内モードやマナーモードにしていたら解除を忘れずに、音が鳴るようにするのをお忘れなく。

どこかに置き忘れたと思ったら、その日どこでスマートフォンを出したか記憶をたどりましょう。最近はセルフレジでポイントを貯めようとアプリの会員証を使って、そのまま台に置き忘れる人が多いみたい。私のお友だちも、「スーパーの保安室にいったら、ずらーっとスマホが並んでいたわ」と笑っていました。

スマートフォンの設定で、「GPS（位置情報）をオン」にしておくと、他のスマートフォンやパソコンから失くしたスマートフォンを捜すことができます。ただし、それもスマートフォンの充電が残っている間のことなので、家の外で落とした、失くしたと思ったら早めに対処を始めましょう。

手元にスマートフォンは戻ったものの、「誰かに中身を見られたかも」と心配であれば、ネットショッピングやキャッシュレス決済などお金を使うアプリのパスワードなどを変更すると安心かもしれませんね。

Q4

子どもや友人から「どうして電話に出ないの？」と言われるんですが……

A

まず確かめたいのが、充電が切れていないか。あまり外出なさらない方は、スマートフォンを家のどこかに置きっ放しで充電が切れてしまうことがあるようです。「あら何も使っていないのに？」と思うかもしれませんが、たとえば位置情報をオンにしているとアプリはずっと動いているので、電池は少しずつ減ってしまいます。そして急に外出しなくてはならないときに限って、空っぽだったり……これはシニアにしか分からない苦労なんです。毎日持ち歩くわけではないのですから。

ならば充電ケーブルをコンセントに挿しっ放しにすれば安心かというと、それは過充電といって内蔵の充電池の劣化を進めてしまいます。私たちがお腹ペコペコでは動けないし、いつもパンパンに食べ過ぎては健康に悪いのと似ています。過充電防止機能が搭載されていない場合は、毎朝起きたら充電をチェックして、20％前後まで減っていたら充電開始。80％くらいまで充電されたら、ケーブルを抜くといいですね。

次に、音量ボタンが「ゼロ」になっていないか確かめましょう。バッグに入れて持ち歩くうちに勝手に音量ボタンが押されていることもあります。イヤホンで音楽を聴いていて、そのまま挿しっ放しにして置いていた、なんてうっかりもあるかもしれませんよね。

外出先でマナーモードや機内モードにしたまま、忘れてはいませんか。マナーモードでは着信音が鳴りませんし、機内モードは通信を遮断するので電話やメール、ＬＩＮＥがそもそもつながりません。

留守番電話の設定で、短いコール回数ですぐに留守電になってしまっている場合は、長めのコールになるように変更しましょう。

これらをすべて確かめたのに、やっぱり電話が受けられない。その場合は家族や携帯電話会社の窓口に相談することを、おすすめします。

第6章

シニアはひとりじゃない。世代の強みを今こそ活かそう

超高齢社会、数の多さを「武器」にしてしまいましょう

戦後のベビーブームに生まれた「団塊の世代」が後期高齢者(75歳以上)になる2025年から、日本は国民の5人に1人が後期高齢者という「超高齢社会」に突入するのだそうです。

そんなふうに聞かされると、「若い人たちに負担をかけて申し訳ない」と小さくなってしまうシニアも多いかもしれません。

しかし不良老人のマーチャンは違います。「5人に1人も仲間がいるなんて素敵。一緒に力を合わせれば、いろんなことができるじゃない」とワクワクしてしまうのです。

たとえば老眼鏡というものも、昔は種類が少なく、デザインもまったくおしゃれじゃなかったですよね。「私の好みと合わないわ」「ジジむさく見えて嫌だね」というシニアが過去にもたくさんいたからこそ、今のようにカラフルで素敵なデザインが増えたのだと思います。

デジタルだって、同じこと。

商品やサービスを提供する企業の人は、おおむね若い人たちです。行政でデジタルを担当する人たちもたぶんそうでしょう。ですから指先が乾いてスマートフォンの画面がうまく動かないとか、予約システムの入力方法が分かりにくいといったことが、いまひとつ実感として分かっていないと思うのです。

すばやく入力できるほうが嬉しい若い人には「使いにくい」「こんなもの要らない」と苦情をぶつけるより、「こうなったらもっと良くなる」「年寄りは使いやすくて分かりやすいものが欲しい」という前向きな意見を上手に伝えていくほうが、企業や行政も耳を傾けてくれると思うのです。何しろ私たちは間もなく「5人に1人」の一大勢力になるのですから！

ネット通販で買ったものなら「商品レビュー」、サービスについては「ご意見募集」のサイトから書き込むことも、インターネットを「使える」シニアだからこそできる武器だと思います。上手に活かして、シニアみんなにとって明るく快適なデジタルライフの実現をご一緒にめざしてみましょうよ。

最近は、新しい技術を開発した起業家が「クラウド・ファンディング」（多数の人から少額ずつ資金を集める仕組み）で事業の資金を集めることも増えています。もし「これはシニアに役立ちそう」という商品やサービスの情報のことを知ったら、出資して応援するという道もありかもしれません。つまり私たちがデジタルの新しい未来のスポンサーや、パトロンになれるかもしれないのです。

台湾のオードリー・タンさんに、マーチャンが学んだこと

2021年11月、台湾のデジタル担当大臣の唐鳳（オードリー・タン）さんとオンラインで対談をする機会がありました。その日のお話に私はとても感動したので、皆さんにもお伝えしたいと思います。

タンさんは2020年2月、新型コロナウイルスの感染が拡大し始めた台湾で、買い占めによるマスクの不足を防ぐために、政府がまずマスクを買い上げ、それを実名制（本人確認のうえ）で販売する仕組みを作りました。

Ｇｏｏｇｌｅマップを使って、どこの薬局やコンビニエンスストアにマスクの在庫があるかを3分ごとに更新して知らせる「マスクマップ」をわずか3日で完成させたことも素晴らしいのですが、私が感動したのは、台湾でもデジタルに弱いとされているシニアにも使いやすいように、大臣であるタンさん自らがシステムを工夫された点でした。

当初タンさんたちが考えたのは、銀行のカードを使ってコンビニのＡＴＭでマスクの代金52元（約１８０円）を振り込み、プリントアウトされた用紙を持ってレジへ行くと、マスクと交換してくれる仕組みでした。それをタンさんのお祖母さまの友人である70代のヨーさんという女性に、「テストをしてほしい」と頼みました。

するとヨーさんは、「老人はＡＴＭでお金を『引き出す』ことには慣れているけれど、『振り込む』のは金額を間違えたら怖いから、やりたくない」という返事。振り込みの金額を間違えるのが不安というヨーさんの感想に、「その気持ち、分かる分かる」という方も多いのではないかしら。

そこで次に考えたのが、台湾で99％の人が持っているＩＣチップ付きの健康保険証をコンビニに設置してある機械で登録し、その内容がプリントアウトされた紙をレジに提出しつつ、現金で52元を払うとマスクが買える仕組み。「お財布から現金を出して払うなら安心だ」と、今度はヨーさんも納得してくれたそうなのです。

その後もヨーさんは「スマートフォンに表示される文字が小さい」など細かいダメ出しをしてきましたが、自分が作成に関わったマスクマップを自分のお友だちにも口コミで伝え、シニアに広めることにも一役買ってくれたのだとか。

このエピソードには、シニアがデジタルの未来にできることの大きなヒントが含まれていると思いませんか。

一つには、シニアは何が苦手で、どんなことに不安を持っているかをしっかりリサーチしたうえでシステムを作ることの大切さです。日本の行政が「お年寄りに向けて作りました」というものに対して、「ちょっと事前に相談してくれればいいのに」と思った経験が、マーチャンにも何度かあります。意外と、ほんのちょっとの配慮だったりするものなのですよ。

そしてもう一つ大切なことが、参加意識。シニアの声を取り入れて作ってくれたシステムやサービスならば、私たちも応援する気持ちになりますよね。

実際に使う人の気持ちになって、デジタルの未来を考えてくれる。そんな組織のトップが、日本にもあらわれてくれる日を待ちたいですね。

オーダーメイドの花咲く未来にワクワク

オードリー・タンさんは、その日も私が着ていたエクセルアートのブラウスを褒めてくれました。エクセルというデジタルの仕組みと、人がまとう洋服というアナログな存在との融合がまず素晴らしいと。

そして、こんなふうに多くの人の知恵を集めて何かを作るという行為は、インターネットの理想の姿なのではないか、とも。嬉しかったですね。

たとえば、私が作ったデジタル・データをメールに添付するなどの方法で台湾へ送れば、タンさんはダウンロードしたデータを布地にプリントして、おそろいのシャツを作ることができます。また色を変えればご自分のオリジナルの一着を作ることもできるのです。タンさんはそれを、「高い壁に囲まれて咲く花をひとりで観賞するのではなく、広く開放された花園に咲く花をみんなで楽しんでいる」という美しい光景にたとえてくださいました。

デジタル化が進む社会では、自分の欲しいものをオーダーメイドで作って楽しむことが、実現しやすくなります。デジタル＝画一的なイメージを持たれるかもしれませんが、反対なんですね。

地球上の全人口のうち7割、約55億人が何らかの形でスマートフォンを利用しているといわれます。

そしてスマートフォンのアプリは、私が「ｈｉｎａｄａｎ」を作ったように、基本的に誰でも自由に作ることができます。それをｉＰｈｏｎｅやＡｎｄｒｏｉｄで使えるように申請が通れば、世界中の人が使えるようになるのです。

インターネットの空間は世界共通のものであり、助け合いの花が色とりどりに咲いているかのようです。そんな未来が待っているとしたら、ワクワクしてきませんか。

失敗、へたくそ、なんのその。内なる創作意欲に火をつけて

ある日の新聞の生活面投書欄に、「8度目の卯年を迎えた年女」というから今年96歳になる女性の素敵な投稿が載っていました。高齢者施設で暮らすその人に、息子のお嫁さんがタブレットをプレゼントして「ライン通話を始めませんか」とすすめてくれたそうなのです。もちろん苦労はしたけれど、「いやできる。やってみよう」と諦めずにチャレンジしたら、できるようになったと。

「受信せしライン通話の嫁の声　今朝のセーターお似合いですよ」

と添えられた和歌の一首もゆかしく、これぞシニアのクリエイティビティだわと思わず膝を打ったものでした。（『朝日新聞』２０２３年2月17日朝刊）

認知症予防をうたったシニア向けのドリルや対策グッズも売られています。しかしパズルや計算ドリルのような単純作業より、私はクリエイティブに何かを創造することのほうが脳の活性化には役立つと思うのです。

「自分は絵を描けないから」という人は、パソコンやスマートフォンに備わっているさまざまな「お絵描きソフト」を使ってはどうでしょう。自治体などが主催するデジタル教室で、教えてくれるところも多いようです。

そこで大事なことは、お手本や先生のしめす通りに真似しても、創造力は養われないということ。「赤く塗って」といわれたら青く塗っちゃうくらいの気持ちで、失敗してもへたくそでも、自分のオリジナリティを追求してみましょう。

私は音楽アプリで「お琴」を演奏して遊んでいますが、他にもスマートフォンの画面でピアノが弾けるアプリもあれば、楽譜が読めなくても作曲ができるソフトといったものもあります。

シニアサイトの「メロウ倶楽部」では会員同士で自作の俳句や都々逸を披露し合っていますが、インターネットにはそうして作品を投稿できるサイトも多いのです。

お孫さんやペットの写真、ビデオを撮影する趣味がおありなら、BGMやナレーションを入れて動画を編集するのも素敵ではないでしょうか。

「8度目の卯年を迎えた年女」さんは新聞に投稿しましたが、インターネットであればいつでも自由に自分の作品を発表できます。そうして多くの人の目に触れることで、また新たな創作意欲に火がつくかもしれませんよ。

テクノロジーに支えられ最後まで自立した「おひとりさま」も夢じゃない

以前から、視力に障がいを持つ人のお手伝いをするボランティア活動に参加してます。そこでお会いする人たちに聞くと、たとえば音声入力やテキストの読み上げ機能などデジタル技術の発達によって、少し前よりも日常生活が格段に便利になっただけでなく、職業選択の幅も大きく広がったそうなのです。

私も白内障の手術を受け、さらに耳も遠くなっているように、年齢を重ねればある意味で誰もがハンディキャップを抱えるようになります。少子高齢化が進み、医療費や介護費の負担が増える、人手不足で介護従事者が足りないといった問題も進んでいくでしょう。「若い人の負担になりたくない」、寝たきりにならずに、自立した生活を続けたいと皆が願っています。

そこでも役立つのが、ハンディキャップに対応してくれるデジタル技術です。老いとともに失った機能を補ってくれる機器やサービスは、積極的に利用していきましょう。「ちょっと困ってきたな」というときから使い始めても、十分便利なものなので、いろいろ試して慣れておくと、老いに対する不安の解消にも役立つのではないでしょうか。

音声で今日の天気を調べたり、エアコンの温度設定ができるＡＩスピーカーは、体が思うように動かなくなったときの素晴らしい相棒になってくれるでしょう。「今日のお医者さんの診察予約は何時からだったかしら」と同じことを何度聞いても、「○時からです」と嫌な顔一つせずに答えてくれますから、ちょっぴりボケてからも安心してお付き合いができますよね。

もう何年か経てば、介護ロボットも登場してくるでしょう。「機械にお世話されるなんてまっぴら」という人もいらっしゃるかもしれませんが、私は大歓迎。機械が冷たいとも限りませんもの。お風呂もたくましい腕でしっかり抱えて入れてくれるでしょうし、デジタルのこまやかな設定で「頭のこのへんがかゆいの」なんてリクエストにも応えてくれると思うのです。

介護サービスで決まった曜日にしか入浴できない生活より、部屋に備えつけられた介護ロボットのスイッチをピッと押して、好きなときにお風呂に入る。お風呂から上がったら、ＡＩスピーカーに「クーラーの温度をあと2度下げて」と頼んで快適にひとやすみ。そうそう、その頃にはファミリーレストラン出身の配膳ロボットが冷蔵庫から冷たい麦茶を持って来てくれるかもしれませんね。

私はそんなデジタル「おひとりさま」ライフが一つの理想ですが、皆さんはどうお感じでしょうか。

人生100年時代の新たな目標、みんなで「理系老人（リケロウ）」になろう

人生100年時代には、いつまでも学び続ける気持ちが人生を豊かにしてくれます。これだけ社会が目まぐるしく変わる世の中では、学校を卒業したから、仕事で求められるスキルを身につけたから、それで終わり、ではありません。その時々に必要な学びを積み重ねていくことが大切でしょう。

私が特におすすめしたいのが、理科系の学び。理系女子の「リケジョ」ならぬ、理系老人「リケロウ」を増やしていくことが、マーチャンのこれからの大事な使命だと考えているのです。

私たち世代は戦争の影響もあって、基礎的な理科系の知識に乏しい傾向があります。初等教育が一部、あるいはすっぽり、抜けているのです。それに当時の科学は今ほど研究が進んでいませんでした。生活に役立つ部分が分かっていれば十分という考えもあるでしょうが、何がどうなって動いているのかの「原理」を知っていれば、と思うことが多いのです。

理科系の分野は日進月歩でどんどん進みます。この分野を学ぶときには、読むだけで分かった気になるのではなく実際に触ってみて、失敗もして、あれこれ試行錯誤しながらがよいと思います。「マーチャンの本を一冊読んだから分かった」と思わずに、これまでの章で気になったサービスやアプリがあれば、ぜひお手元のスマートフォンでどんどん試してください。普段の生活でも「チャットGPTって何?」など新しいニュースを追いかけていく。そして試してみる。そうした繰り返しから「リケロウ」への道が拓けていくのだと思います。

シニアが参加するデジタル活用、海外では始まっています

この本も最終盤。最後にちょっとＩＴエバンジェリストとしてのマーチャンの顔をご披露したいと思います。

２０１９年に私は、エストニア共和国を訪れました。バルト三国の一つで、世界に先駆けて電子政府と電子社会を作り上げてしまった国です。ＩＤカードがあれば、行政手続きはもちろん、銀行口座の開設や病院の診療履歴へのアクセスなど民間サービスの利用もできます。

このような電子政府の仕組みは、どの国でも取り入れたくてしょうがない。でも「年寄りがデジタルを使いたがらないからうまくいかない」という意見が多いのです。ではなぜエストニアではうまくいったのでしょうか。

電子政府の関係者に「エストニアではなぜシニアが協力的なのか」と聞くと、鍵はやはり「使いやすさ」の徹底にあったようです。操作手順を徹底的に分かりやすくしたのです。加えて、実際にシニアに役立つ制度やアプリがたくさんあったことも理由でしょう。

シニアたち本人はどう思っているのか、アンケート(60歳以上の75名が回答)を取ったところ、電子政府を利用している人の95%が「自分の暮らしに役立っている」と答えてくれました。面白かったのは、「どのようにIT学習をしましたか」という質問で、「家族から教わった」の次に「独習で」という人が多かったこと。実際、現地のシニアと孫世代を対象にしたエクセルアートのワークショップを開いたところ、参加された人たちは、インストラクターの手をわずらわせず自分でどんどんやってみたり、自分なりに色使いを変えて楽しむ人が多くて驚きました。

その後コロナ禍でしばらく海外へ行けない日々が続き、旅行大好きなマーチャンは悶々と過ごしたものでした。そして2022年6月、前々から実情を知りたかったデンマークへやっと飛ぶことができたのです。

北欧諸国は国民のIT意識が高いことで知られますが、特にデンマークでは役所から国民への「紙の文書」の郵送を一切やめて、「オンライン」のやりとりだけにすることを実現しました。その結果、行政手続きの時間は約30％短くなり、年間約3億ユーロ（約370億円）の経費削減にもつながったといいます。

使う側にとっても、たとえば医療の分野では患者のデータや検査結果をオンラインで共有することで、全国どこにいても一貫した治療プロセスを受けられる、自宅にいてもオンラインでリハビリが受けられるなど、外出が難しくなるシニアにも役立つサービスの試行が始まっています。

もちろんデジタルが苦手な人に向けた手厚いサポートも用意されていました。一連の教材の開発はデジタル化庁が担当し、ＩＴカフェで教室が開かれたり。また市役所には市民が無料で使えるパソコンがあって、サービスを体験できるのです。

さらに感激したのは、スワイプやスライドといったシニアが苦手な操作をともなうアプリを国や自治体が公開することは法律で禁じられているというのです。こうした対応からも、デンマーク政府が使う人たちの意見をしっかりと聞いて、ていねいに施策を進めたことが分かりますね。

デンマークでは、シニアが暮らす施設も見学しました。そこでは車椅子に乗っていても自立した生活が送れる工夫がたくさんありました。たとえばトイレのペーパーホルダーの位置や洗濯機の高さを変えられて、車椅子に座ったまま作業しやすい。壁掛けテレビの角度もリモコンで設定できてベッドで寝ながらでも見やすいなど、使う人が自分に合わせて自由に変えられるのです。

年齢を重ねても、できることは極力自分でする。そうした自立を尊ぶ国民性が、デジタルという新しい技術を使ったサービスも積極的に受け入れていこうという姿勢にも表れているように感じました。

まさに「老いては子に従え」ではなく、「老いても極力自立せよ」なのです。

心配性、苦労性から抜け出して
デジタルの新しい未来へ！

エストニアでもデンマークでも、政府と国民が信頼し合っていることを強く感じました。日本はマイナンバーカードも「なんとなく不安」だから作らない人が多いという状況とは、ずいぶんと差がありますね。

日本のデジタル化が遅れてしまったのは、上に立つ人が高齢でデジタル化にそれほど積極的でないこと、IT化はハコモノ行政ほど選挙の票になりにくいことなど、国や行政の事情がまずはあるでしょう。

実はそれ以外にも、失敗を怖がり、新しいことへのチャレンジをためらいがちな日本人の国民性も、デジタル化の遅れの原因になっているんじゃないかと、私は思っています。

江戸時代のように古くからの体制を守ることが重視される世の中であれば、変化を避けて、何ごとにも慎重であることに意味はあったでしょう。しかし現代は、群雄割拠の戦国時代よりも、鎖国の世を終わらせた明治維新の頃よりも、私たちが経験した戦後の変革期よりも、さらに変化がめまぐるしい時代です。

いま、ＡＩの台頭によって、世の中の常識や価値観が大きく転換しようとしています。その流れの中で、「新しいものは何だか怖い」などとためらっている場合ではないのです。

そう、シニアだって、自立しなくちゃ。テクノロジーの力を借りて。

テクノロジーが進化すればするほど、それを使いこなす人間の力が必要になります。デジタルと共存して生きていくには、こちらも人間力を高めなくてはなりません。そのためには、これまでの知識や経験に加えて、新しく「学び直す」ことも必要になっていくでしょう。

なにも、難しいことはありません。

そんなに心配しなくて大丈夫です。

なによりデジタルは、楽しいです。使ってみれば快適です。

年をとって不自由になっていく暮らしを、時には優しく、時には頼もしくサポートしてくれる素晴らしい相棒です。

この本を読んでくださって、「これは便利そう」「楽しそう」「使ってみたい」と思う機能やサービスがありましたでしょうか。もし一つでもおありなら、お手元にスマートフォンなどご自分のデジタル機器を用意して、本を閉じたすぐ後にでも試していただきたいのです。

テレビで見かけた美味しそうなレシピを、検索で探しますか？

美術館の予約に挑戦してみましょうか。

設定から、画面の明るさを見やすく変えてみますか？

あるいは明日お散歩へ出たときに、今まで敬遠してきたコンビニのセルフレジやレストランでのタブレット注文に挑戦してはどうでしょう。

そうして「デジタルって、案外いいものじゃない」と思ってくださったら、もうあなたもマーチャンのデジタル仲間の一員です。

もしもシニアにとって使い勝手が悪ければ、「こうしてほしい」と声をあげていこうじゃありませんか。

私たちに役立つものがあれば、おおいに応援してあげましょうよ。

そうしてもっともっと、シニアがデジタルと仲良くなる未来を、ぜひ皆さんとご一緒に楽しみたい。ソロバン時代から量子コンピューターの時代までを現役として生きてきたマーチャンは、そう願っているのです。

デジタルの世界は、ものすごいスピードで絶えず進歩し、変化し続けています。

この本が皆さんのお手許に届く頃には、「いずれはこうなるでしょう」と書いたことはすでに始まっているかもしれません。テレビや新聞でＩＴの話題が出てきたら、注目してくださいね。

若宮正子（わかみや・まさこ）

1935年東京生まれ。東京教育大学附属高等学校（現・筑波大学附属高等学校）卒業後、三菱銀行（現・三菱UFJ銀行）へ勤務。定年をきっかけにパソコンを独自に習得し、同居する母親の介護をしながらパソコンの楽しさにのめり込む。1999年にシニア世代のサイト「メロウ倶楽部」の創設に参画し、現在も副会長を務めるほか、NPO法人ブロードバンドスクール協会の理事として、シニア世代へのデジタル機器普及活動に尽力している。2017年、雛人形を正しく配置するiPhone用のゲームアプリ「hinadan」を開発し、配信。米国アップル社による世界開発者会議「WWDC 2017」に特別招待。18年には国連総会で基調講演を行うほか、政府の「人生100年時代構想会議」をはじめ「デジタル社会構想会議」などに委員として参加。ITエバンジェリスト、デジタルクリエイターとして活動する。

88歳（さい）、しあわせデジタル生活（せいかつ）
——もっと仲良（なかよ）くなるヒント、教（おし）えます

2023年7月10日　初版発行
2023年12月15日　再版発行

著　者　若宮正子（わかみやまさこ）
発行者　安部順一
発行所　中央公論新社
〒100-8152　東京都千代田区大手町1-7-1
電話　販売 03-5299-1730　編集 03-5299-1740
URL https://www.chuko.co.jp/

DTP　今井明子
印　刷　大日本印刷
製　本　小泉製本

Published by CHUOKORON-SHINSHA, INC.
Printed in Japan　ISBN978-4-12-005670-3　C0095